国際交流基金 日本語教授法シリーズ 1

日本語教師の役割／コースデザイン

国際交流基金 著

JAPANFOUNDATION　国際交流基金

国際交流基金 日本語教授法シリーズ
【全14巻】

- 第 1 巻「日本語教師の役割／コースデザイン」
- 第 2 巻「音声を教える」[音声・動画・資料データ付属]
- 第 3 巻「文字・語彙を教える」
- 第 4 巻「文法を教える」
- 第 5 巻「聞くことを教える」[音声ダウンロード]
- 第 6 巻「話すことを教える」
- 第 7 巻「読むことを教える」
- 第 8 巻「書くことを教える」
- 第 9 巻「初級を教える」
- 第10巻「中・上級を教える」
- 第11巻「日本事情・日本文化を教える」
- 第12巻「学習を評価する」
- 第13巻「教え方を改善する」
- 第14巻「教材開発」

■はじめに

　国際交流基金日本語国際センター（以下「センター」）では1989年の開設以来、海外の日本語教師のためにさまざまな研修を行ってきました。1992年には、その研修用教材として『外国人教師のための日本語教授法』を作成し、主に「海外日本語教師長期研修」の教授法の授業で使用してきました。しかし、時代の流れとともに、各国の日本語教育の状況が変化し、一方、日本語教授法に関する研究も発展したため、センターの研修の形や内容もさまざまに変化してきました。

　そこで、現在センターの研修で行われている教授法授業の内容を新たにまとめ直し、今後の研修に役立て、また広く国内外の日本語教育関係のみなさまにも利用していただけるように、この教授法シリーズを出版することにしました。この教材の主な対象は、海外で日本語教育を行っている日本語を母語としない日本語教師ですが、広くそのほかの日本語教育関係者や、改めて日本語教授法を独りで学習する方々にも役立てていただけるものと考えます。また、現在教師をしている方々を対象としていますが、日本語教育経験の浅い先生からベテランの先生まで、できるだけ多くのみなさまに利用していただけるよう工夫しました。

■この教授法シリーズの目的

　このシリーズでは、日本語を教えるための必要な基礎的知識を紹介するだけでなく、実際の教室で、その知識がどう生かせるのかを考えてもらうことを目的としています。

　国際交流基金日本語国際センターでは、教師の基本的な姿勢として、特に次の能力を育てることを目的として研修を行ってきました。その方針はこのシリーズの中でも基本的な考え方となっています。

1）自分で考える力を養う

　理論や知識を受身的に身につけるのではなく、自分で考え、理解して吸収する力を身につけることを目的とします。

2）客観性、柔軟性を養う

　自分のこれまでの方法、考え方にとらわれず、ほかの教師の意見や方法を知り、客観的に理解し、時には柔軟に受け入れることのできる教師を育てることをめざします。

3）現実を見つめる視点を養う

つねに現状や与えられた環境、自分の特性や能力を客観的に正確に把握し、自分の現場に合った適切な方法を見つける姿勢を育てることをめざします。

4）将来的にも自ら成長できる姿勢を養う

研修終了後もつねに自分自身で課題を見つけ、成長しつづける自己研修型の教師を育てることをめざします。

■この教授法シリーズの構成

このシリーズは、テーマごとに独立した巻になっています。どの巻からでも学習を始めることができます。各巻のテーマと概要は以下の通りです。

巻	テーマ	概要
第1巻	日本語教師の役割／コースデザイン	日本語を教えるうえでの全体的な問題をとりあげます。
第2巻	音声を教える	各項目に関する基礎的な知識の整理をし、具体的な教え方について考えます。
第3巻	文字・語彙を教える	
第4巻	文法を教える	
第5巻	聞くことを教える	
第6巻	話すことを教える	
第7巻	読むことを教える	
第8巻	書くことを教える	
第9巻	初級を教える	各レベルの教え方について、総合的に考えます。
第10巻	中・上級を教える	
第11巻	日本事情・日本文化を教える	
第12巻	学習を評価する	
第13巻	教え方を改善する	
第14巻	教材開発	

■この巻の目的

　この巻は、日本語教師の役割について考え、日本語教師として理解しておかなければならないことをコースデザインという大きなわく組みの中でとらえなおすことをめざしています。

　本書の学習目標は以下の3点です。

＜目標＞
①日本語教師として今の自分の仕事をふり返り、より広い視野をもって考え直すこと。
②常に学び続けることの重要性を認識すること。
③コースデザインという大きなわく組みの中で教師として理解しておかなければならないことを認識すること。

■この巻の構成

1．構成

本書の構成は以下のようになっています。

```
┌─────────────────────────┐
│ 日本語教師の仕事をふり返る │
└─────────────────────────┘
            │
            ▼
```
＊「教えること」だけでなく自らも「学ぶこと」の重要性を確認する
＊「学校の中」だけでなく外の世界にも目を向けることの必要性を確認する

```
┌──────────────────────────────────────────┐
│ 具体的に仕事をするうえで、教師が理解しておくべきことを考える │
└──────────────────────────────────────────┘
            │
            ▼
```
＊学校（機関）、学習者、教師、教える内容、目標・スケジュール、教材・教具、教え方、評価・テストの8つの項目に分けて理解しておくべきことを確認する

```
┌──────────────┐
│ コースデザイン │
└──────────────┘
```
コースデザインという大きなわく組みで教師が理解すべきことを考える

　　＊学習者のことを知る　　＊　教師のことを知る
　　＊教える内容を考える　　＊　目標を考える
　　＊教材を考える　　　　　＊　教え方を考える

2．各課題（【質問】）

この巻の中の各課題（【質問】）は、次のような内容に分かれています。

ふり返りましょう

自分自身の教え方をふり返る

○○について自分はいつもどうしているか、それはなぜかを考えます。

自分自身の教え方について、問題点、自信のある点などを整理し客観的に考えることが目的です。

ほかの人の教え方や新しい方法を知る

◎グループやクラスで教授法を学んでいる場合：

ほかのメンバーや教師とのディスカッションを通して、ほかの人の考え方や解決方法を知り理解します。協働学習をおすすめします。

◎独りで教授法を学んでいる場合：

まず自分で考えてから、解答例を参考にもう一度考えてみてください。できれば積極的に同僚やまわりの人の意見も聞くようにするとよいでしょう。

やってみましょう

新しい方法を体験する

新しい学習・教授方法を体験したり、今までもやってきた学習・教授方法を、その意味を考えながら、もう一度やってみたりします。

考えましょう

活動や実践の意味を考える

「ふり返りましょう」で出たことや、今までやってきたこと、さらに「やってみましょう」で挑戦したことの意味を、理論的な背景と照らし合わせながら考えます。

整理しましょう

さまざまな方法を論理的に整理し、理解する

それまでに取り組んだいろいろな課題の意味をもう一度整理して、今後の授業で、ここで学んだことを形だけではなく、その活動目的や意味を十分理解して取り込んでいけるようにします。

目次

1 日本語教師の役割 ……………………………………… 2
1-1. 日本語教師の仕事 ……………………………………… 2
(1) 学ぶこと・教えること

(2) 学校の中・学校の外

1-2. 教師が理解しておくこと ……………………………… 5

2 コースデザイン ……………………………………… 8
2-1. 学習者のことを知る ……………………………………… 9
(1) 学習者のレディネス

(2) 学習法などの好み、言語観・学習観

(3) 学習者のニーズ

2-2. 教師のことを知る ……………………………………… 16
(1) 教授観

(2) ネイティブ・ノンネイティブ

2-3. 教える内容を考える ……………………………………… 20
(1) シラバス

(2) 複合シラバス

(3) 課題シラバス（タスクシラバス）

2-4. 目標を考える ……………………………………… 31

2-5. 教材・教具について考える ……………………………… 32
(1) 主教材

(2) 副教材・教具

2-6. 教え方を考える ……………………………………… 38

この巻で学んだことをふり返ってみましょう ……………………………… 47

解答・解説編 ……………………………………… 48

【参考文献】 ……………………………………… 67

1 日本語教師の役割

　この章では日本語教師の役割、つまり日本語教師に求められることについて考えます。まず教師の仕事について考えてみましょう。

1-1. 日本語教師の仕事

ふり返りましょう

【質問1】
日本語教師として、あなたはどのようなことをしていますか。教師経験の浅い人はどのような仕事があると考えますか。できるだけ具体的に、できるだけたくさん書き出してください。

日本語教師として、していること
例）授業の学習目標を設定する。授業で教える内容を決める。……

整理しましょう

　【質問2】【質問3】では【質問1】で答えた内容を異なった角度から整理します。自分が今までしてきたこと、あるいは考えていたこと、そしてこれからさらにするべきことが見えてくるはずです。

(1) 学ぶこと・教えること

【質問2】
まず、【質問1】で答えた内容を教師自身が「学ぶこと」に関係すること、学習者に「教えること」に関係すること、「どちらでもない」ことにわけてみましょう。

図1

（学ぶこと／教えること／どちらでもない の3つの円）

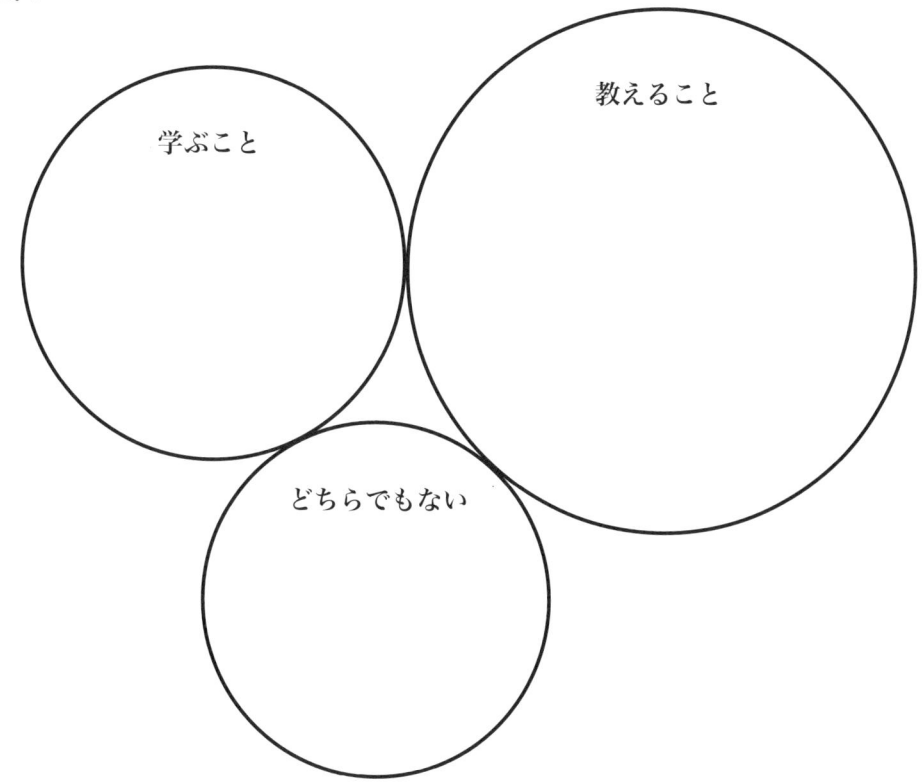

　日本語教師として、していることに「学ぶこと」がどのくらい含まれていましたか。授業のために文法項目をもう一度復習したり、本を読んで現代の日本語について考えたりしている人もいるかもしれません。また勉強会や教師会で発表したり、ほかの教師の発表を聞いたりするのも「学ぶこと」に含まれるでしょう。そしてそれだけではなく、日々のさまざまな教授活動も、「教える」と同時に学習者から「学ぶ」ことも多いと自覚し、「学ぶこと」と「教えること」の両方にさまざまな教授活動を入れた人もいたと思います。どれも教師としてすばらしい姿勢であり、考え方だと思います。重要なことは、教師として常に学び続ける姿勢を持つことです。「日本語」も「日本語の教え方」も時代とともに常に変化してきています。そして何よりも自分自身が常に柔軟に新しい情報や考え方を取り入れ、学習者からも学ぼうとする姿勢は、教師としての人間性に影響し、重要な要素となっていくことでしょう。

　少なくともこの本を手にとってもう一度教師として学びなおそうと考えている人は、十分「学ぶこと」の重要性を理解していると言えます。

教師の仕事は「教えること」だけではありません。「学ぶこと」「常に学び続けようとすること」も教師の重要な仕事です。

(2) 学校の中・学校の外

【質問３】
【質問１】で答えた内容は次のどの部分に入りますか。図２の中に書き入れてみてください。

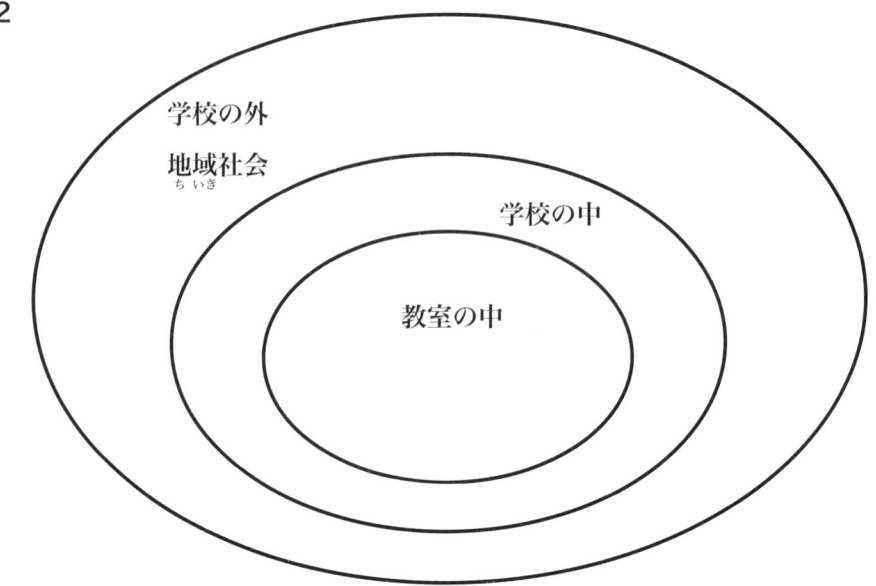

図２

```
     ┌─────────────────────────┐
     │  学校の外                │
     │  地域社会                │
     │       ┌───────────────┐ │
     │       │    学校の中    │ │
     │       │  ┌─────────┐  │ │
     │       │  │ 教室の中 │  │ │
     │       │  └─────────┘  │ │
     │       └───────────────┘ │
     └─────────────────────────┘
```

　日本語教師としてすることの大半が「学校の中」に含まれていた人はいませんか。教師として「学校の外」ですることもたくさんあるはずです。たとえば、次のような活動をどう考えますか。

○ 同じ地域の学校の教師（同僚）と日本語や日本語の授業の方法について相談したり話しあったりする。
○ 海外の日本語教師どうしの勉強会やワークショップに出席する。
○（海外の場合）地域の日本人コミュニティの活動に協力し、学生と日本人との交流をはかる。

> 教師の世界は「学校の中」だけに限りません。「学校の外」にも自分が関わる世界があることを認識しましょう。

今までみてきたように、教師の仕事、教師の役割にはさまざまな側面があることがわかりました。日本語の知識を学校の中で教えるだけの存在ではないことがわかってきたと思います。

しかし、実際には「教える内容」があり、「日本語の授業」をすることは、とても重要な仕事です。次に、そうした「日本語の授業」をするうえで、具体的に教師が理解しておかなければならないこと、考える必要があることを整理してみましょう。

1-2. 教師が理解しておくこと

考えましょう

【質問4】

たとえば、授業をするために、まず「1回の授業の計画を立てる」という仕事を考えてみましょう。この仕事をするために、教師が理解したり考えたりしておかなければならないことにはどのようなことがありますか。具体的に書き出してみてください。

「1回の授業の計画を立てる」ために教師が理解したり考えたりしておかなければならないこと

例）文法項目の知識（何を教えるか・どこが難しいか）
　　会話練習をするか

さまざまな内容があったと思います。自分の文法知識に関するもの、教授法に関するもの、あるいは、学校の方針に関するものなど、いろいろな分野のものがあったはずです。次にそれらの内容を整理して考えてみましょう。

整理しましょう

【質問5】

図3は、ある教師が【質問4】の答えとして書き出したものを8つの項目にわけて整理したものです。あなたが考えつかなかったものはありますか。また逆に、もしあなたが考えたことで図3にないものがあったら、書き加えてみましょう。

図3

「1回の授業の計画を立てる」ために教師が理解したり考えたりしておかなければならないこと

学校（機関）のこと
・学校の方針は？
たとえば卒業時全員が日本語能力試験3級に合格していることをめざしているとか。

学習者のこと
・レベルは？
・予習・復習をよくするか。
・ゲームが好きか。
・早く日本語で話せるようになりたいのか、急がないのか。
・日本に行く予定があるのか。

教える内容
・文法項目の知識
（何を教えるか、どこが難しいか）
・文字の知識

教え方
・最初に何をするか。
・会話練習をするか。
・授業中は教師も学習者も日本語だけを使うようにするのか。

1回の授業の計画を立てる

コース目標やスケジュール
・時間割は？
・コースの目標は？

評価・テストのこと
・小テストをする予定があるかどうか。
・期末試験では全ての学習項目がテスト範囲になるのか。
・期末試験は筆記試験だけなのか。

教材・教具
・教科書は決まっているが、全部を取り上げなくても良いのか。
・インターネット環境やオーディオ設備が整っているか。

教師のこと
・2人で1クラスを担当するのか。
・自分はノンネイティブだが、パートナーの先生はどうか。

「１回の授業の計画を立てる」ことを例にとって、どのようなことを教師として理解しておく必要があるのか８つの項目に分類して整理してみました。実はこの８つの項目は、１つ１つの教師の仕事のレベルからコース全体の設計（コースデザイン）のレベルまで、さまざまなレベルで考えることが必要な項目なのです。また、日本語教師はどのような立場で教えていても、コース全体のことを理解し、知っておく必要があります。そこで次の章では、この８つの項目について、コースデザインという少し大きな視野のもとで考えてみることにします。

2 コースデザイン

図4　コースデザインの流れ

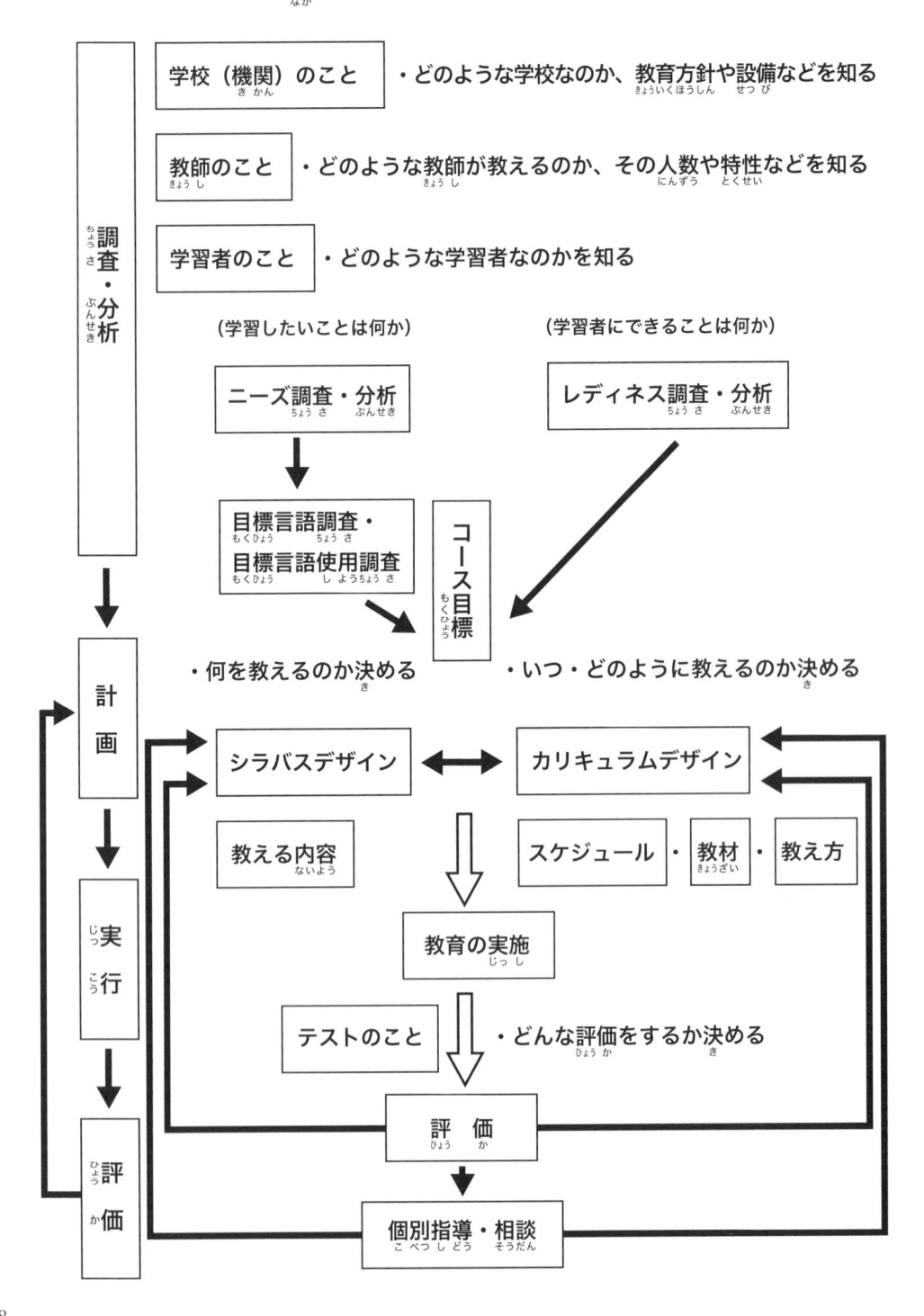

調査・分析

- 学校（機関）のこと ・どのような学校なのか、教育方針や設備などを知る
- 教師のこと ・どのような教師が教えるのか、その人数や特性などを知る
- 学習者のこと ・どのような学習者なのかを知る

（学習したいことは何か）　　　　　　　（学習者にできることは何か）

- ニーズ調査・分析　　　　　　　　　レディネス調査・分析

↓

目標言語調査・目標言語使用調査　→　コース目標　←

・何を教えるのか決める　　　　　・いつ・どのように教えるのか決める

計画

シラバスデザイン　⇔　カリキュラムデザイン

- 教える内容　　　スケジュール・教材・教え方

↓

教育の実施

テストのこと　・どんな評価をするか決める

実行

↓

評価

評価

↓

個別指導・相談

コースデザインとは、前述の通り、コース全体の設計のことを言います。前ページの図4は、コースデザインの流れを示した図です。この図の中に、前章の【質問5】で考えた8つの項目（学校（機関）のこと、教師のこと、学習者のこと、教える内容、コース目標やスケジュール、教材・教具、教え方、評価・テストのこと）がどのように位置づけられているか確認してください。

2-1. 学習者のことを知る

8つの項目のうち、まず「学習者のこと」について考えてみましょう。直近の1回の授業について考えるときも、コース全体の設計をするときも、必ず学習者について考え、理解しておくことが必要です。

では、学習者について理解するというのはどういうことなのでしょうか。図3の「学習者のこと」には、次のようなことが書かれていました。あなたが図3に書き加えたこともう一度書いてください。

```
・レベルは？         ・予習・復習をよくするか
・ゲームが好きか     ・早く日本語で話せるようになりたいのか、急がないのか
・日本に行く予定があるのか　・
・
```

この内容をよく見てみると、学習者自身の状況を表すもの（「レディネス」）と、学習者が望んでいることや必要だと感じていることを表すもの（「ニーズ」）の2つの面があることに気がつきます。この2つの面についてそれぞれ考えてみましょう。

(1) 学習者のレディネス

学習者の「レディネス」とは、前述の通り、学習者がどのような状況にあるかということを指します。

考えましょう

【質問6】
上の□の内容「学習者のこと」の中で学習者の状況を表す「レディネス」に関係するものはどれですか。書き出してみてください。

書き出した内容は、学習者の能力、学習環境、教授法や練習法の好みなどに関係するものであることがわかります。自分自身の学習者の場合を考えてみましょう。

ふり返りましょう

【質問7】
右ページの表は、学習者のレディネスに関する項目の一部を並べたものです。自分が今教えている学習者について考えてみてください。はっきり答えられることには◎、だいたい答えられることには○、答えられないことには×、答える必要がないと思うことには△を右のチェックの列に書いてください。

　すべての項目に◎がついた人は少なかったと思います。個人のプライバシーの問題などから△をつけた項目があった人もいたかもしれません。もちろん全ての項目が、教師の仕事をしていくうえでいつも必要なこととは限りません。しかし、学習者の「レディネス」を知り、理解するためにはさまざまな内容を知る必要があるということが理解できたのではないでしょうか。

(2) 学習法などの好み、言語観・学習観

　表1の最後の6つの項目は、学習法などの好み、言語観・学習観に関する項目の一部です。学習者のことを知るということには、学習者のことばや学習方法に対する好みや考え方も含まれます。もちろんことばやその学習に対する好みや考え方は人それぞれです。しかし教師はある程度知っておく必要があるでしょう。

表1　レディネスチェック

レディネスに関する項目			チェック
学習者自身のこと	年齢	あなたの学習者は何歳ですか	
	職業	あなたの学習者の職業は何ですか	
	国籍	あなたの学習者の国籍は何ですか	
	母語など	あなたの学習者の母語は何ですか	
		あなたの学習者は何カ国語を話すことができますか	
学習経験・能力	日本語学習	あなたの学習者は日本語を学習したことがありますか	
		どのくらいのレベルですか	
		どのような技能（話す、書くなど）が得意ですか	
		どのような教科書で、どのような所で学習しましたか	
	外国語学習	あなたの学習者は日本語以外の外国語を学習したことがありますか	
		どのような言語で、どのぐらいのレベルですか	
		どのような教科書で、どのようなところで学習しましたか	
	そのほか	学習者はことばの学習以外にどのような分野が得意ですか	
学習環境	時間	どのくらいの期間学習する予定ですか	
		一週間にどのくらいクラスに出席できますか	
		どのような時間帯の授業が可能ですか	
		学習者には自宅で学習する時間はありますか	
	設備	学習者の自宅のインターネット環境や、オーディオ設備はどうなっているのか	
	そのほか	学習者のまわりには日本人がいますか（地域社会、親など）	
		日本語を使う機会が多いですか	
学習法などの好み		学習者はどのような練習方法が効果的だと思っていますか	
		学習者は普段どのような学習スタイルをとっていますか	
		学習者は人前で発表することが好きですか	
		学習者は暗記することが得意ですか	
言語観・学習観		学習者は日本語は難しいことばだと思っていますか	
		学習者は授業中たくさんの知識を得たいと思っていますか	

学習法などの好みは「学習スタイル」や「学習ストラテジー（方略）」といった呼び方をされることがあります。あなた自身のことをふり返ってみましょう。

ふり返りましょう

【質問8】
外国語学習の経験を思い出してください。あなたはどのようにして勉強しましたか。

クラスで学習している人はまわりの学習者の答えを聞いてみましょう。ひとりで学習している人はまわりの同僚の経験談などを聞いてみてください。教科書を暗記した人、たくさん書いて勉強した人、音声を聞いて勉強した人、くり返し発音することで単語を覚えた人など、さまざまな学習方法があることに気がつくと思います。

【質問9】
外国語学習の経験を思い出してください。クラス全員の前でひとり前に出て外国語で何か話したりスピーチのようなことをさせられたりしたことはありますか。そのようなとき、どのような気持ちでしたか。

考えましょう

【質問10】
【質問9】の答えには、達成感、満足感、挫折感、緊張感、不安感など、さまざまな思いがあったのではないでしょうか。そしてその思いの原因はどこにあると思いますか。自分自身が教師としてそうした人前での発表を学習者にさせることはたくさんあると思います。どんなことに気をつければ良いと思いますか。考えてみてください。

学習法の好みはさまざまです。学習方法はもちろん教授方法とも関係しています。学習者の好む学習方法に全く合わない教授方法をとる場合、それが原因になってさまざまな感情を学習者に与えることもあります。学習者が得意とする学習スタイルを理解してあげることも重要です。また、いつも学習者に合わせるだけでなく、時には効果的な学習方法のアイディアを出してあげることも必要なことかもしれません。学習法、学習スタイルに関するアンケート調査の例は解説編で紹介した参考文献を見てください。

ここでは特に言語観や学習観について考えてみます。ことばやその学習に対して人が抱いている考え方や信念のようなものを「ビリーフ」と言います。ここで、「ビリーフ」調査の一例を紹介します。

・・・・・・・・・・・・・・・・・・・・・・・・・・・・・・・・・・・・・・

次にあげるのは、外国語学習に対して人々が持っている信条です。1から34番までを読み、5.強く同意する、4.同意する、3.同意も反対もしない、2.反対する、1.強く反対する、のいずれかの番号を選んでください。なお、第4問と第15問は(a)〜(e)の中から答えを選んでください。

1. 外国語を学習するのは大人より子どもの方が簡単である。　　5　4　3　2　1
2. 外国語学習に特別な能力を持っている人がいる。　　5　4　3　2　1
3. 学習するのが簡単な言語と難しい言語がある。　　5　4　3　2　1
4. 日本語は

　　(a) 大変難しい言語である。　　　(b) 難しい言語である。
　　(c) 中程度に難しい言語である。　(d) やさしい言語である。
　　(e) 大変やさしい言語である。

5. 自分は日本語が大変うまく話せるようになると信じている。　　5　4　3　2　1
6. 私の国の人々は外国語を学習するのが得意である。　　5　4　3　2　1
7. すばらしい発音で日本語を話すことは重要なことである。　　5　4　3　2　1
8. 日本語を話すためには、日本の文化を知る必要がある。　　5　4　3　2　1
9. 正しく言えるようになるまでは、日本語で何も言うべきではない。　　5　4　3　2　1
10. 1つの外国語を話せる人がもう1つの外国語を学習することは簡単である。　　5　4　3　2　1
11. 数学や科学が得意な人は、外国語の学習は苦手である。　　5　4　3　2　1
12. 日本語は日本で学習するのが一番よい。　　5　4　3　2　1

13. 日本人と会って日本語を練習するのが好きだ。　　　　　5　4　3　2　1
14. 日本語の単語を知らない場合、推測するのはかまわない。　5　4　3　2　1
15. もし、毎日1時間外国語の勉強をすると、その外国語を非常にうまく話せるようになるには、どのくらいの期間がかかるだろうか。
    (a) 1年以内　　(b) 1～2年　　(c) 3～5年
    (d) 5～10年　　(e) 1日に1時間ではことばは身に付かない。
16. 自分は、外国語を身に付けるための特別な能力がある。　　5　4　3　2　1
17. 外国語学習の一番重要な部分は、語彙を身に付けることである。5　4　3　2　1
18. たくさんくり返し、たくさん練習することは重要である。　5　4　3　2　1
19. 外国語学習は男より女のほうが優れている。　　　　　　　5　4　3　2　1
20. 私の国の人々は日本語を話すことが重要だと感じている。　5　4　3　2　1
21. ほかの人と日本語を話すとき、気後れがする。　　　　　　5　4　3　2　1
22. 入門期の学習者が日本語の間違いをしてもよいということになれば後になって正しく話すようになるのが難しくなる。　5　4　3　2　1
23. 外国語学習の一番重要なところは、文法を勉強することである。5　4　3　2　1
24. 日本人をもっとよく知るために日本語を身に付けたい。　　5　4　3　2　1
25. 外国語を聞いて理解するより、話すほうが簡単である。　　5　4　3　2　1
26. カセットやテープで練習することは重要である。　　　　　5　4　3　2　1
27. 外国語を学習することは、ほかの教科の勉強と違う。　　　5　4　3　2　1
28. 外国語学習で一番大切なのは、自分の母語からその外国語に翻訳する方法を身に付けることである。　　　　　　　　　5　4　3　2　1
29. 日本語がうまくなれば、よい職を得る機会が増える。　　　5　4　3　2　1
30. 2カ国以上の言語を話す人は頭の良い人である。　　　　　5　4　3　2　1
31. 日本語がうまく話せるようになりたい。　　　　　　　　　5　4　3　2　1
32. 日本人の友だちが欲しい。　　　　　　　　　　　　　　　5　4　3　2　1
33. だれもが外国語を話せるようになれる。　　　　　　　　　5　4　3　2　1
34. 日本語を話したり聞いて理解するより、読んだり書いたりするほうが簡単である。　　　　　　　　　　　　　　　　　5　4　3　2　1

E.Horwitz, "Surveying Student Beliefs about Language Learning" in Anita Wenden and Joan Rubin, *Learner Strategies in Language Learning,* 1987, pp.127-128, Prentice Hall, Englewood Cliffs, New Jersey.

『英語教育のアクション・リサーチ Reflective Teaching in Second Language Classrooms』ジャック・C・リチャーズ／チャールズ・ロックハート著　新里眞男訳より (pp.79-80) 研究社, 2000.

なお、文中の質問項目は本来英語学習者のために作成されたものであるため、「英語」を「日本語」に置き換え、さらに選択肢のスケールが、「1.強く同意する」〜「5.強く反対する」であったものを、「5.強く同意する」〜「1.強く反対する」へと逆転させるなど一部変更した。

・・

　この調査リストは学習者向けにつくられたものです。機会があれば学習者に答えてもらうとよいでしょう。学習者自身も自分がことばや学習に関してどのような「ビリーフ」を持っているのか気がついていない場合が多いと思います。学習者にとってもそうした自分自身のことを知り、そして同じクラスで学習する仲間がさまざまな「ビリーフ」を持っていることを知ることは大事なことです。

やってみましょう

　P.13〜14の質問項目は学習者向けにつくられたものですが、皆さん自身もやってみてください。日本語ネイティブの人には、5、13、20、24、31、32、34番は答えられない項目となりますが、それ以外は答えられると思います。ノンネイティブの人は、そのまま全ての項目に答えてみてください。できれば自分の学習者の回答と比べてみて、違いや共通点を確認してみると良いでしょう。ただし、違うことがいけないことではありません。教師として学習者と自分の間に言語や学習に関する考え方の違いがあるということを自覚することが重要だと思います。自分の考え方を押し付けることなく、どうすれば理解してもらえるのか、また自分自身も学習者の考え方に歩み寄れるのか考えるきっかけにしてください。

(3) 学習者のニーズ

　「ニーズ」とは、学習の目的、到達目標、どのような日本語が必要なのかといった問題に関係する項目です。あなたは学習者の「ニーズ」についてどのくらい知っていますか。

ふり返りましょう

【質問11】
あなたは自分の学生の日本語を学習する目的を知っていますか。書き出してみましょう。

【質問12】
あなたは学習者の日本語学習の目的だけでなく、具体的に、「どのような場所で日本語を話す必要があるのか」「どのくらいのレベルまでなりたいと考えているのか」「日本語を使って何ができるようになりたいのか」など、さらにくわしい内容についても知っていますか。

　一言で「学習者のことを知る」と言ってもその範囲は広く、さまざまな面があることがわかりました。学習者のレディネスやニーズを知ることは、適切な学習内容、適切な教授方法を決めるうえで重要な要素となっていきます。そしてそれだけではなく、学習者の日本語教育への「動機」や「学習意欲」がどこにあるのか、どうすればもっと引き出せるのかを知る重要な手がかりともなります。「学習者のことを知る」必要があるのは、どのような知識を与えるのが良いのかを考えるためだけではなく、どうすればうまく学習者の学びを助けることができるのかを考えるためでもあるのです。

　「レディネス」や「ニーズ」を知り、理解する方法として、教師や学校側が学習者にアンケート調査やインタビューをして調べることがよくあります。しかし、学習者が子どもの場合は親の希望、ビジネスパーソンの場合は職場の要望、留学生であれば留学先の学校側の求めているレベルなども聞く必要があるでしょう。さまざまな角度から学習者について知り、理解することが教師にとって必要なことの1つです。

2-2. 教師のことを知る

　今度は教師のことについて考えてみましょう。教師とは皆さん自身のことになりますが、自分自身のことについて皆さんはどのぐらい知っていますか。どんな知識があって、何が得意で何が苦手でといったことは当然ある程度自覚していると思いますが、どのような教授観をもっているか自覚していますか。2-1. (2)で「ビリーフ調査」を実際にやってみてどうでしたか。まわりの同僚や自分の学習者と違うところはありませんでしたか。ここでは、まず教授観について考えてみましょう。

(1) 教授観
　経験の浅い教師もベテランの教師もそれなりに理想とする教え方や考えがあるものです。それがどのようなものなのか少し考えてみましょう。

やってみましょう

2-1. (2) でやったように、次の質問に答えてみてください。今度は教授観に関するアンケートです。

【質問 13】

1 から 18 までの質問を読み、5. 強く同意する、4. 同意する、3. 同意も反対もしない、2. 反対する、1. 強く反対する、のいずれかの番号を選んでください。

1. 授業中、学習者の誤りはすぐ直さなければならない。　　　5　4　3　2　1
2. 教師はいつも学習者が正しい発音で話すように注意しなければならない。　　　5　4　3　2　1
3. 学習者の意欲を持続させることがことばの学習を成功させることにつながる。　　　5　4　3　2　1
4. 教師は授業でくわしい文法説明をする必要がある。　　　5　4　3　2　1
5. 外国語を教えるとき、その外国語が話されている国の文化も教えることが必要だ。　　　5　4　3　2　1
6. 外国語を学ぶことで、自分の国の文化をふり返ることができる。　5　4　3　2　1
7. 学習者には正確さを求めなければならない。　　　5　4　3　2　1
8. 外国語学習の中で一番大切なのは文法の学習だ。　　　5　4　3　2　1
9. 学習している外国語を話す人たちと練習する機会をつくらなければならない。　　　5　4　3　2　1
10. 教師は学習内容に学習者が興味を持っている内容を取り入れなければならない。　　　5　4　3　2　1
11. 教科書や教材は外国語の授業に必要だ。　　　5　4　3　2　1
12. 教科書に書いてあることは全て教えなければならない。　　　5　4　3　2　1
13. 外国語教師にはユーモアが必要である。　　　5　4　3　2　1
14. 教師はいつも学習者をはげまさなければならない。　　　5　4　3　2　1
15. 授業ではできるだけたくさんの知識を与えなければならない。　5　4　3　2　1
16. 外国語学習は楽しくなくてはならない。　　　5　4　3　2　1
17. 教師は学習者が達成感を持ったかどうかをいつも確認しなければならない。　　　5　4　3　2　1

18. 外国語学習では、たくさん読ませたり書かせたりすることが
　　必要だ。　　　　　　　　　　　　　　　　　　　　　5　4　3　2　1

この調査項目は、Horwitz (1985, 1987)、Cotterall (1995) を参考に作成

　いかがでしたか。できるだけクラスメートやまわりの同僚と回答を比べあったりして、考え方がさまざまであることを認識しましょう。これらの質問は教授観に関する質問の一部です。その一部を考えてみただけでも、考え方がさまざまであることがわかります。

　【質問13】の18問のうち、1、2、4、7、8、11、12、15、18番の質問項目で、5に近い数字を選んだ人は、ことばのしくみやその正確さを大切だと考え、たくさんの知識を与えることを重要だと考える傾向が強い人です。また、3、5、6、9、10、13、14、16、17番の質問項目で、5に近い数字を選んだ人は、ことばの持つ文化的な要素を大切だと考えたり、ことばの学習そのものを楽しんだりそこに満足感を持ってもらうことを重要だと考えている人です。それぞれの点数の合計を出し、まわりの人と比べてみましょう。点数が多いほど、その傾向が強いということが言えます。自分がどのようなタイプなのか知ることができるかもしれません。ただ、この2つの傾向は相反するものではなく、両方の傾向が強い人もいますし、また点数が高いほど良いとか低いほど良いといったものではありません。皆さんの個性だと思ってください。

考えましょう

【質問14】

教師は学習者に対してどのような存在だと思いますか。次の中から選んでください。いくつ選んでもかまいません。そして、どうしてそう思うのか考えてみてください。

　　　親　　　　兄弟　　　　上司　　　カウンセラー

　　医者　　かんご師　　先ぱい　　友だち　　相談相手

(2) ネイティブ・ノンネイティブ

　2-2. (1) では、教授観について考えました。教授観は個人による違いがあるだけでなく、国や地域によっても傾向が異なります。たとえば次のグラフを見てください。

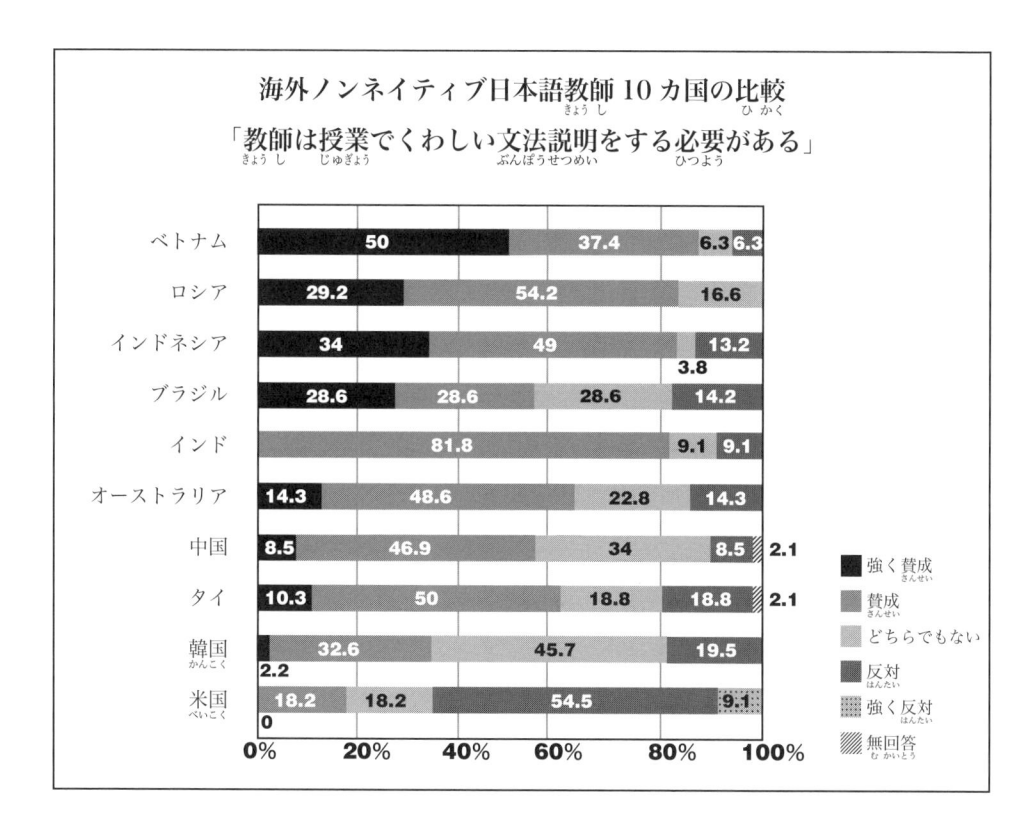

海外ノンネイティブ日本語教師10カ国の比較
「教師は授業でくわしい文法説明をする必要がある」

国	強く賛成	賛成	どちらでもない	反対	強く反対	無回答
ベトナム	50	37.4	6.3	6.3		
ロシア	29.2	54.2	16.6			
インドネシア	34	49	13.2	3.8		
ブラジル	28.6	28.6	28.6	14.2		
インド		81.8	9.1	9.1		
オーストラリア	14.3	48.6	22.8	14.3		
中国	8.5	46.9	34	8.5		2.1
タイ	10.3	50	18.8	18.8		2.1
韓国	2.2	32.6	45.7	19.5		
米国	0	18.2	18.2	54.5	9.1	

(調査対象人数：ベトナム16名、ロシア24名、インドネシア53名、ブラジル14名、インド11名、オーストラリア35名、中国47名、タイ48名、韓国46名、米国11名／国際交流基金日本語国際センター2004年度調査研究部会調査プロジェクト「海外日本語教師研修生の学習背景及びビリーフの調査と分析」(代表久保田美子) 調査結果をもとに作成。)

　このグラフは海外で日本語を教えるノンネイティブ日本語教師に対するビリーフ調査の結果をグラフに表したものです(10カ国、回答平均値順)。あなたも【質問13】の項目4で同じ質問に答えています。自分の答えと比べてみてください。調査対象人数が少ないので参考資料にすぎませんが、国によって回答傾向が大きく違うことがわかると思います。ネイティブ教師が海外で日本語を教える場合、このように国によって教授観が異なることを認識する必要があるでしょう。特に現地のノンネイティブの日本語教師とチームを組んで教えるような場合は、パートナーとのコ

ミュニケーションを大事にし、その中でパートナーの教授観や言語、学習に対する考え方などを意識的に理解するよう努力することが必要です。

さて、今この本で学習している皆さんは日本語ネイティブでしょうか、ノンネイティブでしょうか。ここで、それぞれの教師の特性について考えてみましょう。

考えましょう

【質問 15】
ノンネイティブ日本語教師の良いところ、ネイティブ日本語教師の良いところをそれぞれあげてください。

　ノンネイティブ日本語教師、ネイティブ日本語教師それぞれに良いところがあります。それぞれの特徴を活かして効果的な学習を行うことができれば良いと思います。

2-3. 教える内容を考える

　2-1では「学習者のこと」、2-2では「教師のこと」について考えました。図4（p.8）で示したコースデザインの流れでは、この後、「目標言語行動調査」「コース目標」の設定へと進み、次に教える内容を考えますが、この本では、この一連の流れを理解する前に、まず教える内容について整理しておきます。

(1) シラバス

　教える内容を並べたリストのようなものを「シラバス」と言います。そして、1回1回の授業ではなく、コース全体の学習項目のリストのことをコースシラバスと言います。まずコースシラバスから考えてみましょう。

ふり返りましょう

【質問 16】
あなたは今、どのような種類のことを教えていますか。次の中から当てはまるもの全てに〇をつけてください。

ひらがな	カタカナ	漢字	発音	語彙	文型
文法	会話	読解	作文	聴解	日本文化
日本事情	その他（　　　　　　　　　　　）				

複数の項目を教えている人が多かったと思います。その場合、どの項目を中心に教えていますか。

日本語を教えるとき、どのような項目を中心に、どのような順番で教えるかを決めるには、いろいろな方法があります。

考えましょう

【質問 17】
表 2 は『みんなの日本語初級Ⅰ』学習項目の表の一部です。何を中心に学習項目が並べられているでしょうか。

> **ヒント**
> 「学習項目」に書かれている内容がどのような種類のものか考えてみてください。それは、会話の「場面」ですか、「話題」ですか、文法項目ですか、文型ですか。

コースシラバスは、どのような点からシラバスを分類したかによっていくつかの種類にわけられます。【質問 17】で考えたように文型を中心に学習項目を並べたものを「文型シラバス」と言います。文型シラバスのほかにどのようなシラバスがあるか知っていますか。考えてみましょう。

表2 『みんなの日本語初級Ⅰ』学習項目

課	学習項目	課	学習項目
1	N₁は　N₂です N₁は　N₂じゃありません Sか Nも N₁の　N₂（所属：IMCの社員） ～さん	3	ここ／そこ／あそこ／こちら／そちら／あちら／どこ／どちら N₁は　N₂（場所）です N₁の　N₂（＜国名＞／＜会社名＞製の～） こ／そ／あ／ど
2	これ／それ／あれ この N／その N／あの N そうです／そうじゃありません S₁か、S₂か N₁の　N₂ （内容説明：コンピュータの本） （所有：わたしの　本） そうですか	4	今　～時～分です Vます Vます／ません／Vました／Vませんでした N（時）に　V N₁から　N₂まで N₁と　N₂ Sね

『みんなの日本語初級Ⅰ　教え方の手引き』（スリーエーネットワーク）を利用

＜機能シラバス＞

「機能」ということばを知っていますか。ことばにはさまざまな機能があります。たとえば、「依頼する」「さそう」「命令する」など、ことばを使って何かの目的を達成することをことばの「機能」といいます。

考えましょう

【質問18】

ことばには「依頼する」「さそう」「命令する」などの「機能」のほかにどのような「機能」があるでしょうか。書き出してみてください。

　　コースのシラバスを考えるとき、ことばの「機能」を中心に考えることがあります。ことばの「機能」を中心に学習項目を並べたものを「機能シラバス」と言います。たとえば、「さそう」の機能ではどのような表現が使われるでしょうか。「映画

を見よう」「映画を見に行きませんか」「一緒に映画を見に行きたいと思っているんですが……」など、さまざまな表現が使われます。これらの表現は、「さそう」という機能のシラバスに全て含まれることになります。もう少し「機能シラバス」について考えてみましょう。

考えましょう

【質問 19】
「依頼する」という機能を考えてみてください。どのような学習項目が考えられるでしょうか。まず、何かを「依頼する」とき、どのような表現、あるいは文型を使うか考えて、下の表に考えられるだけ書き出してみましょう。

依頼表現

上で書いた表現は、それぞれ相手や場面によって使いわけると思います。下の表に具体的な例を出して整理してみてください。

依頼表現（例）	使う相手（例）	使う場面（例）

「依頼する」ということばの機能を1つ取り上げてもさまざまな場合にさまざまな表現を使っていることがわかります。ことばの「機能」を中心に教える場合は、そうした要素を整理して考えておくことが必要です。

<場面シラバス>
ことばはさまざまな「場面」で使われ、それぞれの「場面」では、使うことばも

異なります。たとえば「レストラン」の場面では、メニューの内容、料理や材料の名前、数や値段などの語彙を使います。そして「注文する」「料理の内容をたずねる」などの言語行動（機能）、日本のレストランでの習慣など、いろいろなことを知っていなければなりません。このように「場面」を中心に学習項目を並べたものを「場面シラバス」と言います。

考えましょう

【質問20】

「郵便局」の場面を考えてみましょう。郵便局で使われることばを書き出してみてください。

```
郵便局で使われることば
例）切手
```

次に、お客さんとして郵便局に行って、どんなことをするのか書き出してみてください。

```
郵便局ですること
例）切手を買う
```

「郵便局ですること」に書き出した行動をするとき、どのような日本語を使うことが必要になりますか。上で書き出した行動をするときに使う表現を書き出してみましょう。

郵便局ですること	使う表現
例）切手やはがきを買う	〜を（数）ください 例文：切手を2枚ください。

このように「郵便局」は1つの場所であり、さらにいくつもの種類の場面があることがわかります。「場面」シラバスを取り入れるときは、具体的にどのような行為をする場面を教えたいのか整理してから準備をする必要があります。

＜話題シラバス＞
　話題（トピック）の点から分類したシラバスのことを「話題シラバス」と言います。初級では学習者に身近な「家族」「しゅみ」「学校」のような話題が取り上げられることが多く、中級、上級になると「教育」「環境」「健康」など、一般的で社会性のある、あるいは抽象的な話題が取り上げられる場合が多いです。

考えましょう

【質問21】
「料理」という話題を取り上げて授業を行いたいと思います。どのような学習項目が考えられるでしょうか。初級の場合、中級の場合、それぞれについて書き出してみてください。

初級の場合

言語行動・機能	例）好きな食べ物について話す
語彙	例）ケーキ
文型・表現	例）〜が好きです
その他	

中級の場合

言語行動・機能	
語彙	
文型・表現	
その他	

<技能シラバス>

　読む・書く・話す・聞くの4技能をさらに具体的に細かく分類した技能を学習項目として並べたものを「技能シラバス」と言います。たとえば、「読む」という技能であれば「看板を読む」「メニューを読む」「手紙を読む」「雑誌の記事を読む」など、読む対象によって技能が異なりますし、また、「広告を読む」こと1つを取り上げても、「全体を理解する」「商品名、値段、会社名などの必要な情報を読み取る」「くわしい内容を理解する」など、読む目的によっても技能が異なります。そうした内容がシラバスとなります。

考えましょう

【質問22】
「書く」という技能について考えてみましょう。書く対象による書き方の違いをシラバスにしたいと思います。どのようなものが考えられますか。例のように書き出してみましょう。

例1）メモを書く
例2）はがきを書く

　ここまで、「文型シラバス」「機能シラバス」「場面シラバス」「話題シラバス」「技能シラバス」について考えてきました。これらのシラバスはどのようなコースに適しているでしょうか。考えてみましょう。

考えましょう

【質問23】
「文型シラバス」「機能シラバス」「場面シラバス」「話題シラバス」「技能シラバス」の良い点はどのようなところだと思いますか。またそれぞれのシラバスはどのような学習者に向いていると思いますか。表3に書き出してみましょう。

表3　シラバスの特色

	良い点	向いている学習者
文型シラバス		
機能シラバス		
場面シラバス		
話題シラバス		
技能シラバス		

【質問24】

次の①～⑤は教科書の目次の例です。このような目次の教科書の場合、何を中心にしたシラバスだと予想できるでしょうか。考えられるシラバスを書いてください。

① (　　　　) シラバス

第1課　教室で
第2課　学生食堂で
第3課　図書館で
第4課　駅で
第5課　郵便局で

② (　　　　) シラバス

第1課　自己紹介
第2課　質問する
第3課　依頼する
第4課　さそう
第5課　あやまる

③ (　　　　) シラバス

第1課　学校
第2課　わたしの家族
第3課　食べ物
第4課　好きなこと
第5課　ファッション

④ (　　　　) シラバス

第1課　メモのとり方
第2課　カードの書き方
第3課　メールの書き方
第4課　友達への手紙の書き方
第5課　先生への手紙の書き方

⑤（　　　　）シラバス

第1課　わたしは学生です。田中さんは先生ではありません。
第2課　わたしは7時に起きます。わたしはきのう10時に寝ました。
第3課　わたしは東京へ行きます。キムさんはきのうソウルへ帰りました。

　教科書の目次から、ある程度どのようなシラバスで作られた教科書か予想できることがわかりました。次にシラバスを組み合わせる場合について考えてみましょう。

(2) 複合シラバス

　コースシラバスを考えるうえで、いくつかのシラバスを組み合わせたものを「複合シラバス」と言います。

　たとえば、日本留学のために日本語学校で勉強している学習者の場合、留学試験のために、文型シラバスを中心にしたシラバスで教える場合が多いです。しかし、その学習者には、日本で日常生活を送るための日本語も必要です。1学期に何回か日常生活で必要な場面や機能を考えたシラバスを組み合わせることも必要です。

　【質問24】で考えたように、教科書の目次からシラバスを予想することができます。しかし、自分が教えたいと思うシラバスにちょうど合う教科書を選ぶことは難しいです。特に、複合シラバスのように複数のシラバスを組み合わせたいときなどは、自分で教える内容を考えたり、ほかの教科書の内容を少し変えて利用したりすることが必要になります。

　たとえば、文型シラバスで教えながら、ときどき場面シラバスを取り入れた授業を行うときのことを考えて、【質問25】を考えてみましょう。

考えましょう

【質問25】

次の文型の学習を終えたあと、場面シラバスを取り入れた授業をしようと思います。どんな場面が教えられると思いますか。できれば身近でよく行く場所・よくある場面での日本語を教えたいと思っています。考えてみてください。

　教えた文型
　・〜は〜です／じゃないです
　・〜は〜ですか　―はい／いいえ

・〜はなんですか － 〜です
・〜は（い形容詞）いです／くないです／かったです／くなかったです
　〜は（な形容詞）です／じゃないです／でした／じゃなかったです
・〜に〜があります
・〜を（動詞　例：たべます、のみます）

教えられると思う場面

【質問26】

では、実際に【質問25】で考えた場面のうち1つを取り上げて教える場合を考えてみましょう。どのようなことばや表現、会話が考えられますか。教えたほうが良い、あるいは復習したほうが良いと思うものを書き出してみてください。

　　　場面「　　　　　　　　　」

使うことば：

使う表現（文型）、会話：

そのほか教えたほうが良いこと：

どのような順番で

【質問27】

次のような学習者にはどのようなシラバスが合っていると思いますか。また、それはなぜですか。

①日本の大学に留学しようと考えている学習者
②日本に夏休み1カ月間ホームステイをしようと考えている学習者

③日本国外の日本の会社に勤務している学習者
　④日本国外の大学で副専攻として日本語を学習している学生。特に日本語をすぐ使う予定はない。

(3) 課題シラバス（タスクシラバス）

　ことばは、何かの課題を達成するために使われます。たとえば、「友だちと映画を見に行く」「旅行を計画する」など、具体的な目標を達成するためにことばは使われます。そうした課題を中心に学習項目を並べたシラバスを「課題シラバス」、あるいは「タスクシラバス」と言います。課題によっては、複数の言語行動を含む場合もあります。たとえば「友だちと美術館に行く」という課題のためには、まず近くの美術館でどのような展示をしているのか新聞や雑誌、あるいはインターネットで調べたり、電話をして問い合わせをしたりする必要があります。さらに一緒に行く友だちにその情報を伝えたり、あるいはその情報をもとに、一緒に行こうとさそう必要があります。ほかにもいろいろな言語行動が必要になってくるでしょう。課題シラバスでは、こうした課題に含まれる言語行動、そこで必要な文型、語彙、技能、日本事情的知識などが下位項目となります。

　このような課題シラバスでは、課題を達成するために必要な文型、語彙、技能などは、課題をする前に全て決めておくのではなく、課題をする途中で必要に応じて加えていく場合もあります。

整理しましょう

【質問28】
あなたの学校のコースシラバスはどのようなシラバスですか。そのシラバスは学習者のニーズ、レディネスなどから考えて合っていると思いますか。教科書の内容がそのままコースシラバスとなり、それだけを教えてしまっていませんか。

　ここでは、学習者のニーズ、レディネス、コースシラバスについて学びました。【質問28】で考えたように自分自身の学校のコースシラバスをこの3つの観点からもう1度見直してみましょう。

　また、1回1回の授業の内容も、1つのシラバスにとらわれることなく、時にはほかのシラバスと組み合わせることができることも学びました。学校のコースシラバスが、たとえば文型シラバスに決められていても、もし1月に1回、教科書の数課に1回など別のシラバスを組み合わせることが可能ならば、考えてみても良いでしょう。学習

者にとっても、違う角度から学習したことばを見直す機会にもなります。授業の計画を立てるときにシラバスを組み合わせることもできることを思い出してみてください。

2-4. 目標を考える

次に「目標」について考えます。皆さんは、どのように目標設定をしているでしょうか。

考えましょう

【質問 29】
22ページにある表2『みんなの日本語初級Ⅰ』学習項目の1課から4課までを見て、それぞれの課の学習項目を勉強したあとで、どのようなコミュニケーション活動ができるようになるか考えてみてください。

	最終目標として考えられるコミュニケーション活動
1課	例）自己紹介
2課	
3課	
4課	

　文型を中心とした学習でも、各課で学習した知識を使ってできるコミュニケーション活動があることがわかりました。こうしたコミュニケーション活動を各課の最終目標として設定することで、知識を実際の使用に結びつけることができ、また動機付けにつなげることもできます。また、当然のことですが、こうした最終目標を達成するためには、質問25、26で考えたように、文型を中心としたシラバスに、場面シラバスを取り入れた複合シラバスにするなど、シラバスを見直す必要があります。

　「目標」は、授業ごとの目標、【質問29】で考えたような各課の目標、学期ごとの目標、コース全体の到達目標とさまざまな段階の目標があります。いずれの段階の目標も、【質問29】で考えたように、学習する文型、語彙、漢字の種類と数など知識面の目標だけでなく、それらの知識を使ってできるコミュニケーション活動、言語行動として設定しましょう。コミュニケーション活動といっても話す技能に限る必要はありません。「手紙

を書く」「電話で必要な情報をとってまとめる」など、ほかの技能でのコミュニケーションになる場合もあります。

ここでは、教える言語知識が先に決められている場合を例に、そこから言語行動目標を設定する場合を考えました。しかし現在、言語知識からではなく、目標とする言語行動を先に設定し、そこから内容を考える流れが一般的になってきています。その場合、図4（p.8）で示したコースデザインの流れのように、学習者のニーズやレディネスに基づいて、「目標言語調査・目標言語使用調査」を行い、「コース目標」を考え、その上で、より具体的な目標を設定していき、教える内容を決めていくことになります。そのような場合は、ACTFL(The American Council of Foreign Languages: 全米外国語教育協会)の Proficiency Guidelines（言語能力基準）やヨーロッパ言語共通参照枠（Common European Framework of Reference for Languages : Learning, teaching, assessment）という能力基準枠を参照すると良いでしょう。日本語に関しては前述のヨーロッパ言語共通参照枠を基にして、国際交流基金が開発した「JF日本語教育スタンダード」（https://www.jfstandard.jpf.go.jp/）や、日本の文化庁が示した「日本語教育の参照枠」があります。こうした考え方のもとでは、課題や、ことばを使って何ができるかということを中心に目標を設定します。『国際交流基金日本語教授法シリーズ第10巻中・上級を教える』では、課題を中心に目標設定をする方法について学ぶことができます。こちらも参考にしてください。なお、既に国や地域で、言語教育ガイドラインや指導要領が決められている場合、特に公的な機関ではそれに従って目標を決めていくことになります。

2-5. 教材・教具について考える

次に「教材・教具」について考えてみます。「2-3. (1) シラバス」では、学習項目の取り上げ方や順番によってさまざまなシラバスがあることを勉強しました。では、実際に教材を見ながらその学習項目の取り上げ方などについて分析してみましょう。

教材にはいろいろな種類があります。コースで主に使う教材を「主教材」と呼びます。この呼び方は、一般的に「教科書」と呼ばれるものと同じ意味で使います。また「主教材」を補うために使われるものを「副教材」、教室活動を助けるために使われる道具を「教具」と呼びます。

(1) 主教材

まず、自分が使っている主教材（教科書）について考えてみましょう。

考えましょう

【質問30】
あなたが使っている主教材は何ですか。

【質問31】
使っている教材の良い点と問題点は何ですか。

まず、主教材（教科書）をどのように分析すればよいのかを考えてみます。

【質問32】
以下の「教材分析表」を利用して、初級の日本語教科書を分析してみましょう。
分析をするとき、特に次の点について考えてみてください。
① 教材の目的は何か
② どのような学習者を対象にしているか
③ どのような特徴があるか
　・何を中心に教える教科書か（シラバスは何か）
　・学習項目の量はどのくらいか
　・どのくらいの学習時間が想定されているか
　・どのような教え方が期待されているか
④ 自分の学校やクラスでは使えると思うか

教材分析表

観点	教材名『　　　　』	教材名『　　　　』
①教材の目的		
②対象学習者		
③特徴 （シラバス、学習項目量、学習時間、教え方など）		
④自分の学校やクラスでは使えるか		

【質問 33】

今度は、自分が使っている主教材（教科書）を分析してみましょう。そのとき、【質問 32】で分析した教材とどのような点が似ていて、どのような点が違っているか考えましょう。

観点	教材名『　　　　　　　　　　　　　　』
①教材の目的	
②対象学習者	
③特徴 （シラバス、学習項目量、学習時間、教え方など）	
④自分の学習者やコースに合っているか	→【質問 34】で原因について具体的に考えましょう

【質問 34】

現在使用している主教材について【質問 33】で分析してみました。④「自分の学習者やクラスに合っているか」に対して、ぴったり合っていると答えられた人は少なかったのではないでしょうか。その原因について具体的に考えてみましょう。

1）①「教材の目的」とあなたの学習者のニーズやコースの目的は同じですか、あるいは近いですか。

2）この教材の②「対象学習者」にあなたの学習者は当てはまりますか。

3）この教材の③「特徴（シラバス、学習項目量、学習時間、教え方など）」とあなたの考えていることやコースシラバス、カリキュラムは同じ、あるいは近いですか。たとえば、学習内容は適切なレベルですか。難しすぎたりやさしすぎたりしませんか。説明や練習の量が多すぎたり少なすぎたりしませんか。また、学習項目の順番や練習問題の種類や内容があなたの教授法のスタイルと合っていますか。

たとえば、Aさんの学校で使っている教材の構成は次のようになっています。

> 文型例文→目標会話文→文型練習（入れ替えや文完成などの機械的な練習）
> →新出漢字→新しい語彙→短い会話練習（ことばの入れ替え）

Aさんはいつも次のような順番で教えています。

> 文型の導入→文型練習→短い会話練習→目標会話

　Aさんの教える順番と教材の項目の並べ方が違っています。もちろん教材の順番どおりに教える必要はありませんが、教材が合わないと考えていた原因の1つがこうした項目の順番の違いにある場合もあります。あなたの場合はどうですか。

4）学習者の動機付けや達成感の面で満足できる教材ですか。

　現在使用している教科書の問題の原因が少しわかってきましたか。実際には、この問題を解決するために、さまざまな方法をとっていると思います。不足している語彙や練習問題を補ったり、授業にゲームを取り入れて、学習者に興味をもたせる工夫をしたり、いろいろと考えて実行している人も多いでしょう。そしてそうした不足を補うために副教材や教具を利用しているのではないでしょうか。次にそうした副教材や教具について考えてみましょう。

(2) 副教材・教具

考えましょう

【質問 35】
現在あなたが使っている主教材（教科書）は1冊だけですか。ほかに使っている教材がある人は、どのような教材を使っていますか。現在1冊の主教材（教科書）だけを使っている人は、ほかにどのような教材があれば良いと思いますか。

主教材に足りない部分があるとき、副教材などで補うことが必要になります。シラバスの問題、教授法の問題など、足りない部分はいろいろあると思います。まず、シラバスの点で、主教材（教科書）に足りないものがあるときのことを考えてみましょう。

【質問36】

文型シラバスが中心の初級レベルの主教材を１つ選んでください。その教材の内容を全て教えたあとに、レストランの場面で使う日本語を教えたいと思います。どのような授業を考えますか。また、どのような副教材が適していると思いますか。考えてみましょう。

次に、教授法の点で足りないものがあるときのことを考えてみましょう。

【質問37】

『みんなの日本語初級Ⅰ』の第１課「練習Ｃ」を見てみましょう。「練習Ｃ」には次のような会話練習があります。いずれも下線部分の語彙を入れ替える練習です。このような練習のあとでより現実に近いコミュニケーション活動をさせてみたいと思います。どのような活動が考えられますか。また、そのためにはどのような副教材を使うとよいでしょうか。考えてみましょう。

```
1. A：失礼ですが、お名前は？        1) ①サントス    ②サンタス
   B：①イーです。                 2) ①ワット      ②アット
   A：②リーさんですか。            3) ①タワポン    ②タナポン
   B：いいえ、①イーです。
```

```
2. A：初めまして。①マイク・ミラー    1) ①ホセ・サントス  ②ブラジル
     です。                      2) ①カリナ         ②インドネシア
     ②アメリカから　来ました。     3) ①ワン          ②中国
     どうぞ　よろしく。
   B：佐藤です。　どうぞ　よろしく。
```

3. A：皆さん、こんにちは
　　　①マイク・ミラーさんです。
　 B：おはよう　ございます。
　　　①マイク・ミラーです。
　　　②ＩＭＣの　社員です。
　　　どうぞ　よろしく
　　　お願いします。

1）①ホセ・サントス
　　②ブラジルエアーの　社員
2）①ジョン・ワット
　　②さくら大学の　教師
3）①カール・シュミット
　　②パワー電気の　エンジニア

『みんなの日本語初級Ⅰ』第1課「練習Ｃ」(p.11)（スリーエーネットワーク）を利用

ほかにも、学習者の興味をひいたり、動機付けのために副教材や教具を利用する場合があります。特に、レアリア（実際にある物）や生教材と呼ばれるものは、学習したことを実際の場面と結び付けるのに効果的で、楽しい学習をするためにも役に立ちます。写真や雑誌など身近にあるものをどのように授業に役立てることができるか考えてみましょう。

【質問38】

次のような写真があります。それぞれ授業でどのように利用すると効果的でしょうか。考えてみましょう。

・あなたの家族全員が写っている写真
・いなかの風景と都会の風景を写した写真
・すし、てんぷら、すきやき、お好み焼きの写真

国際交流基金日本語国際センター『みんなの教材サイト』(https://www.kyozai.jpf.go.jp/) より

2-6. 教え方を考える

次にコースの中でどのような教え方を採用するのか考えるために、さまざまな教授法について考えます。

ふり返りましょう

【質問39】

あなたは授業中、どのようなことをしていますか。
次の文を読んで、5．授業中必ずする、あるいは必ず学習者にさせている、4．よくする、3．ときどきする、2．たまにする、1．ほとんどしない、のうち、あてはまるものの数字に〇をつけてください。

(1) 教師が教科書を声に出して読む	5	4	3	2	1
(2) 学習者に教科書を声に出して読ませる	5	4	3	2	1
(3) 発音練習をする	5	4	3	2	1
(4) 文字（ひらがな、カタカナ、漢字など）の練習をする	5	4	3	2	1
(5) くわしい文法説明をする	5	4	3	2	1
(6) 教師の質問に日本語で答えさせる	5	4	3	2	1
(7) 教師が日本語を母語に翻訳する	5	4	3	2	1
(8) 学習者に日本語を母語に翻訳させる	5	4	3	2	1
(9) 教師が語彙の意味を母語で説明する	5	4	3	2	1
(10) 例文から語彙の意味を推測させる	5	4	3	2	1
(11) 教師は日本語だけを使う	5	4	3	2	1
(12) 学習者は日本語だけを使う	5	4	3	2	1
(13) 新しい文型は何度もくり返し言わせる	5	4	3	2	1
(14) 学習者に文をつくらせて書かせる	5	4	3	2	1
(15) 会話文を暗記させる	5	4	3	2	1
(16) 教科書を全部暗記させる	5	4	3	2	1
(17) 学習者が間違えたらすぐに直す	5	4	3	2	1
(18) 学習者にロールプレイをさせる	5	4	3	2	1
(19) 学習者にペアワークやグループワークをさせる	5	4	3	2	1
(20) 実際に近い場面を設定して会話練習をさせる	5	4	3	2	1
(21) 学習者に発表をさせる	5	4	3	2	1

(22) 学習者にディスカッションやディベートをさせる　　5　4　3　2　1

(23) 歌やゲームをする　　5　4　3　2　1

(24) 試験をする　　5　4　3　2　1

ほかにも必ずする、あるいはよくすることがあったら書いてください。

クラスで教授法を学習している人はクラスメートと答えを見せ合い、相違点についてその理由を考えてみましょう。ひとりで勉強している人も同僚などに聞いて、自分の答えと比べてみましょう。いろいろなことをしている人がいることがわかると思います。

次にそれぞれの「していること」の意味について考えてみましょう。

考えましょう

【質問40】

【質問39】で5（必ずする）、4（よくする）と答えた項目はいくつありましたか。それらの項目の番号を書き出し、必ず、あるいはよくする理由、またはその目的を書いてください。

項目（　　）　理由・目的「　　　　　　　　　　　　　　　　　　　　　」
項目（　　）　理由・目的「　　　　　　　　　　　　　　　　　　　　　」
項目（　　）　理由・目的「　　　　　　　　　　　　　　　　　　　　　」
項目（　　）　理由・目的「　　　　　　　　　　　　　　　　　　　　　」

理由や目的をよく考えずにしていたことはありませんでしたか。「いつもしているから」「学校で決められているから」「教科書の教師用マニュアルに書いてあるから」といった理由ではなく、自分なりに考えが出せましたか。また、その理由や目的について、まわりの人と意見が同じでしたか。違っていたら、なぜ違っているのか考えてみましょう。

さらに【質問39】から項目を4つ取り上げて具体的に考えてみます。

【質問41】

次の表は、項目(2)(5)(13)(19)に5（必ずする）と答えたある人（A、B、C、D）の理由を書いたものです。この考え方についてどう思いますか。表にあなたの考えを書いてください。またクラスで学習している場合は、となりの人の考えも聞いてみましょう。

項目	必ずする理由・目的	あなたの考え
(2) 学習者に教科書を声に出して読ませる	＜Aさんの場合＞ 学習者に教科書の内容を確認させることができるから	
(5) くわしい文法説明をする	＜Bさんの場合＞ 学習者に正しく使えるようにさせたいから	
(13) 新しい文型は何度もくり返し言わせる	＜Cさんの場合＞ 新しい文型を覚えさせたいから	
(19) 学習者にペアワークやグループワークをさせる	＜Dさんの場合＞ 学習者が話をする機会を増やしたいから	

　このように、いつも授業でしていることを、ときどき、1つ1つ考え直してみる習慣をつけましょう。「授業中していることが目的と合わないのではないだろうか」「これは何のためにしているのだろうか」と考えることが必要です。そして、できればまわりの同僚と話し合うなどいろいろな人の意見も聞くようにしましょう。

　「教える方法」や「教える技術」にはそれをする上での意味や理論的な背景があるはずです。ですから、教える内容、相手、最終目標などが変われば、当然「教え方」も見直さなければなりません。絶対的に優れた「教え方」が先にあるのではありません。まずコース全体（学習者、教師、目標、内容など）を見回し、そのうえで「教え方」を選んだり考えたりしましょう。そしてそのとき、良い方法が一つだけあるのではなく、バランス良く、さまざまな方法を組み合わせることが必要です。

　そのために教師として大事なことは何でしょうか。自分が授業でしようとしてい

ることの意味を考え直す姿勢を持つと同時に、できるだけいろいろな教え方を、その意味、理論的な背景、効果などまで含めて理解し、必要なときに必要な方法が使えるようになっていることが大事なのではないでしょうか。

【質問39】〜【質問41】は、具体的にしていることをふり返り、その意味について考えてみました。次に、【質問42】で、これまで開発されてきた代表的な教授法とその考え方や理論的背景について考えます。自分自身の教え方の幅を広げたり、あるいはすでに持っている教え方の知識を整理したりしてみましょう。

【質問42】
次ページの表4は代表的な教授法のいくつかの特徴をまとめたものです。それぞれの内容を読んでください。よく知っている方法や知らない方法がありますか。また、自分の教え方や考え方とどの方法が近いでしょうか。

たとえば、【質問39】で、項目(5)(6)(7)(8)に対して、5（必ずする）、4（よくする）と答えた人は、「文法翻訳法」に近い方法をとっているかもしれません。考え方の部分は同じでしたか。あるいは全く別の理由でこの方法をとっていましたか。

そのほか、【質問39】の項目(10)(11)(12)で、5あるいは4を選んだ人は「直接法」、項目(3)(13)で5あるいは4を選んだ人は「オーディオリンガル法」、項目(20)(22)で、5あるいは4を選んだ人は「コミュニカティブ・アプローチ」に近い方法をとっているかもしれません。また、複数の教え方を取り入れていた人もいたと思います。

表4で紹介した教授法をあまり聞いたことがないという人もいるかもしれません。【質問43】〜【質問46】は、「直接法」「オーディオリンガル法」「TPR」「コミュニカティブ・アプローチ」の教え方の一部を確認するための質問です。考えてみましょう。また、これらの教授法をよく知っている人も、その理解を確認するために答えてみてください。

【質問43】
「直接法」では、ことばの意味や表現を導入するとき、翻訳したことばで説明するのではなく、実際の場面や物などを示しながら学習者に理解させます。
「寒い」「暑い」「冷たい」「熱い」を教える方法を考えてみてください。

表4　教授法の説明

教授法	特徴（考え方や理論背景など）
文法翻訳法	・文字言語を重要だと考える。 ・学習の目的は、目標言語で書かれた文学作品が読めるようになること。 ・文法規則や単語の意味を暗記して、母語と目標言語の翻訳が自由にできるようになることが重要である。 ・外国語を理解することは、母語に対する理解を深め、知的成長にも役立つと考える。
直接法	・使われる場面や状況、実物などを示すことによって、文や語の意味を、直接目標言語の形式と結びつけて理解させる。 ・教師のあとについて発音練習をする。 ・媒介言語を使わないことが多い。
オーディオリンガル法	・言語は本来音声であり、構造体であるから、言語の学習は、言語の構造あるいは型を学習することが大切である。 ・人間や動物は、外からの刺激に対してさまざまな反応を示し、そうした中で強化された反応ほど起こりやすくやがて習慣になっていく。習慣形成のためにくり返し練習を行うことが大切である。 ・パターン・プラクティスと呼ばれる口頭練習の開発。
TPR（Total Physical Response）	・理解を優先し、聞いたことに全身で反応する方法を用いる。母語習得の方法をモデル化したもの。 ・「話す準備」ができるまで、学習者は話すことを強制されない。
コミュニカティブ・アプローチ	・コミュニケーション能力の育成を目的とする教授法。 ・コミュニケーション能力とは、言語の形やその規則の知識だけでなく、使い方も含めた知識と運用能力を指す。 ・学習内容が重要だと考える。 ・学習者中心。

考えましょう

【質問44】

「オーディオリンガル法」では、表4に書いてあるようにパターン・プラクティスと呼ばれる機械的な練習を取り入れます。次の文型の練習方法を考えてみてください。

「N（場所や物の名前）のN（位置のことば）にN（物の名前）があります」
例）机の上に本があります。ドアの前にいすがあります。

【質問45】

次の①〜②は、TPRの教え方の一部の手順を示したものです。「立ってください」「すわってください」「歩いてください」「走ってください」という指示のことばを理解できるようにするための活動です。その教え方の効果や意味について考えてください。できれば実際に手順どおりにやってみて考えてください。

①学習者をいすにすわらせます。（学習者の数は複数のほうがやりやすいです。）いすの位置は教師を中心に半円形になるようにします。

②教師は次のような指示のことばを言い、学習者は教師の指示にしたがって動きます。言う順番は動きの流れを考えて決めます。個人に当てたり、全員に当てたり、数名に当てたりとさまざまなパターンで何回もくり返します。動きの流れもいろいろ変えます。

> 指示のことば
> 　　（〜さん / みなさん）立ってください。
> 　　（〜さん / みなさん）すわってください。
> 　　（〜さん / みなさん）歩いてください。
> 　　（〜さん / みなさん）走ってください。

＜ポイント＞
・学習者が意味がわからなくて動けないようならば、教師が実際にやってみせるなどして理解させます。
・個人に指示を出したり、複数に指示を出すなど、変化をつけ、学習者がよく指示を聞くよう工夫をします。(いつも全員に指示を出していると、ことばを聞かずにほかの人の動きを見て真似をしてしまうことがあります。逆にあまりよくわからないときに、個人に何回も指示を出すと学習者を緊張させてしまうことがあります。その場合は、全員を何回か動かしてから個人に当てても良いでしょう。)
・自然なスピードで指示のことばを出しますが、学習者が聞き取りにくいようなときは、少しゆっくり話します。ただし、最後は全員が自然なスピードの指示のことばを聞いて動けるようにします。

【質問46】

「コミュニカティブ・アプローチ」では、表4にも書いてあるように実際のコミュニケーションが重要だと考えます。【質問44】では文型「NのNにNがあります」のパターンプラクティスを考えてみました。この練習は「オーディオリンガル法」の考え方では、機械的に練習をくり返すことで習慣形成を行うことが目的です。「コミュニカティブ・アプローチ」ではもっと実際のコミュニケーションに近づけた練習が必要になってきます。どんな練習が考えられるでしょうか。

> ヒント
> ①実際のコミュニケーションでは、どのようなときに会話が生まれますか。たとえば、二人の間で知っていることが違う(インフォメーションギャップがある)ときに、お互いに聞きあう必要性が生まれます。
> ②実際のコミュニケーションでは、どのような会話が行われていますか。話しかけたときにどんな反応がありますか。

以上、「直接法」「オーディオリンガル法」「TPR」「コミュニカティブ・アプローチ」の教え方の一部を具体的に考えてみました。
　ほかにも、いろいろな教え方が、歴史的にさまざまな理由のもとに開発されています。図5で整理してみましょう。

整理しましょう

　次ページの図5からわかるように、教授法と言っても、アプローチ(approach)、メソッド(method)、テクニック(technique)とさまざまな呼び方が使われています。ほとんど同じような意味で使われることもありますが、テクニックは特に実際的な技術を指すことが多く、また、メソッドのほうがアプローチよりも、より具体的な教授法を指すことが多いようです。

　図5には、表4で特徴を紹介しなかった教授法の名前もあります。これらの教授法やその元になっている考え方は、今もさまざまな形で利用されています。興味のある方は参考文献などを読んでさらに勉強してください。

　以上、自分自身の「教え方」をふり返り、その意味を考え、また、さまざまな教授法の考え方について学びました。教授法の流れは現在、実際のコミュニケーションを重要だと考える教え方に動いています。しかし、何にでも使える最良の教え方というものはありません。これからは自分の学習者、学習の現場を見て、これまでに開発されたさまざまな教授法の中から良い方法を組み合わせて利用することが必要です。この章では、「教え方」を考えるときに、何を視野にいれなければならないのかについて考えました。

図5　教授法の流れ

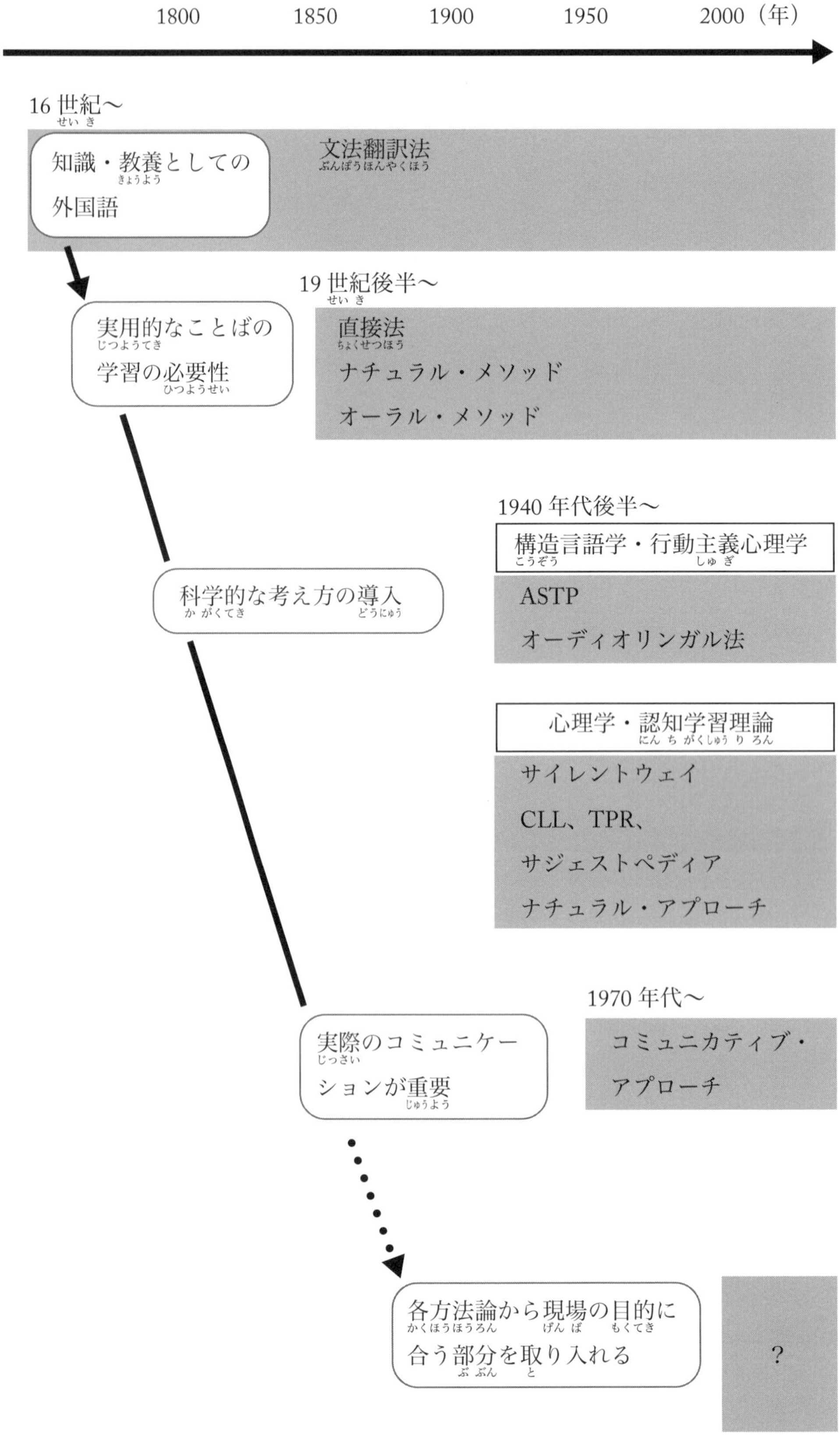

```
         1800      1850      1900      1950      2000（年）
─────────────────────────────────────────────────────▶
```

16世紀〜
- 知識・教養としての外国語
  - 文法翻訳法

↓

19世紀後半〜
- 実用的なことばの学習の必要性
  - 直接法
  - ナチュラル・メソッド
  - オーラル・メソッド

1940年代後半〜
- 科学的な考え方の導入
  - 構造言語学・行動主義心理学
    - ASTP
    - オーディオリンガル法
  - 心理学・認知学習理論
    - サイレントウェイ
    - CLL、TPR、
    - サジェストペディア
    - ナチュラル・アプローチ

1970年代〜
- 実際のコミュニケーションが重要
  - コミュニカティブ・アプローチ

⋯⋯▼

- 各方法論から現場の目的に合う部分を取り入れる　　?

この巻で学んだことをふり返ってみましょう

　この巻では、日本語教師の役割とコースデザインについて考えました。最初にまず日本語教師は、「教える」だけでなく常に「学び続ける」存在であるべきであり、学校の中だけでなく、外の世界にも広く目を向ける存在であるべきだということを確認しました。次に、具体的に日本語教師が理解しておくべきことを広くコースデザインの要素「学習者」「教師」「教える内容」「コース目標やスケジュール」「教材・教具」「教え方」から考察しました。日本語教師として1つの授業を組み立てるときも、コース全体のデザインを考えるときも、幅広い範囲の問題を1つ1つ分析し、常に考えておくことが必要であるということがわかったと思います。大変な仕事ですが、それだけ奥の深いやりがいのある仕事なのだと思います。この本をきっかけに、さらに参考文献などを利用して、学んでいかれることを希望します。

　なお、コースデザインの要素である「学校（機関）」「評価・テスト」の問題はこの巻では取り上げませんでした。「学校（機関）」の問題は皆さん自身の地域や機関の問題としてご自身で調査・分析なさることを希望します。このテキストでは、「カリキュラム」ということばを、コースデザインの一部として、「どのように教えるか」という部分を指す、狭い意味で使いましたが、もっと広い意味で、教える内容全体や、学校内および教育制度で実現されるべき目標を示す意味で使う場合もあります。「学校（機関）」の問題は、そうした、広い意味でのカリキュラムの問題ですので、時には、皆さんの国や地域の言語政策の問題と関係している場合があります。また「評価・テスト」に関してはシリーズ第12巻で取り上げますので、そちらを参照してください。さらに「教える内容」や「教え方」についてもほかの巻でより具体的に取り上げます。たとえば、具体的に「読むこと」の「教え方」についてさらに考えたいときには「読むことを教える」の巻を見るなど、それぞれの必要や興味に応じて参照してください。

《解答・解説編》

1 日本語教師の役割

1-1. 日本語教師の仕事

■【質問1】（解答例）

> 日本語教師として、していること
>
> 例）授業の学習目標を設定する　　授業で教える内容を決める
> 試験問題をつくる　　教案を書く　　教具をそろえる　　テストの採点をする
> 成績をつける　　授業をする　　文型を示す　　文型の説明をする
> 文法項目の説明をする　　本を読んで訳す　　学習者に文型練習をさせる
> 会話例を示す　　学習者に会話練習をさせる　　勉強会に出席する
> 時間割表をつくる　　教科書の注文をする　　教師会に出席する
> 授業日誌を書く　　難しいことばの意味を調べる……

(1) 学ぶこと・教えること

■【質問2】（解答例）
図1

学ぶこと
- 難しいことばの意味を調べる
- 教師会に出席する

教えること
- 文型を示す　　文型の説明をする
- 文法項目の説明をする
- 本を読んで訳す　　学習者に文型練習をさせる
- 会話例を示す　　学習者に会話練習をさせる
- 試験問題をつくる　　教案を書く
- 教具をそろえる　　テストの採点をする
- 成績をつける　　時間割表をつくる
- 授業日誌を書く　　授業をする

どちらでもない
- 教科書の注文をする

(2) 学校の中・学校の外

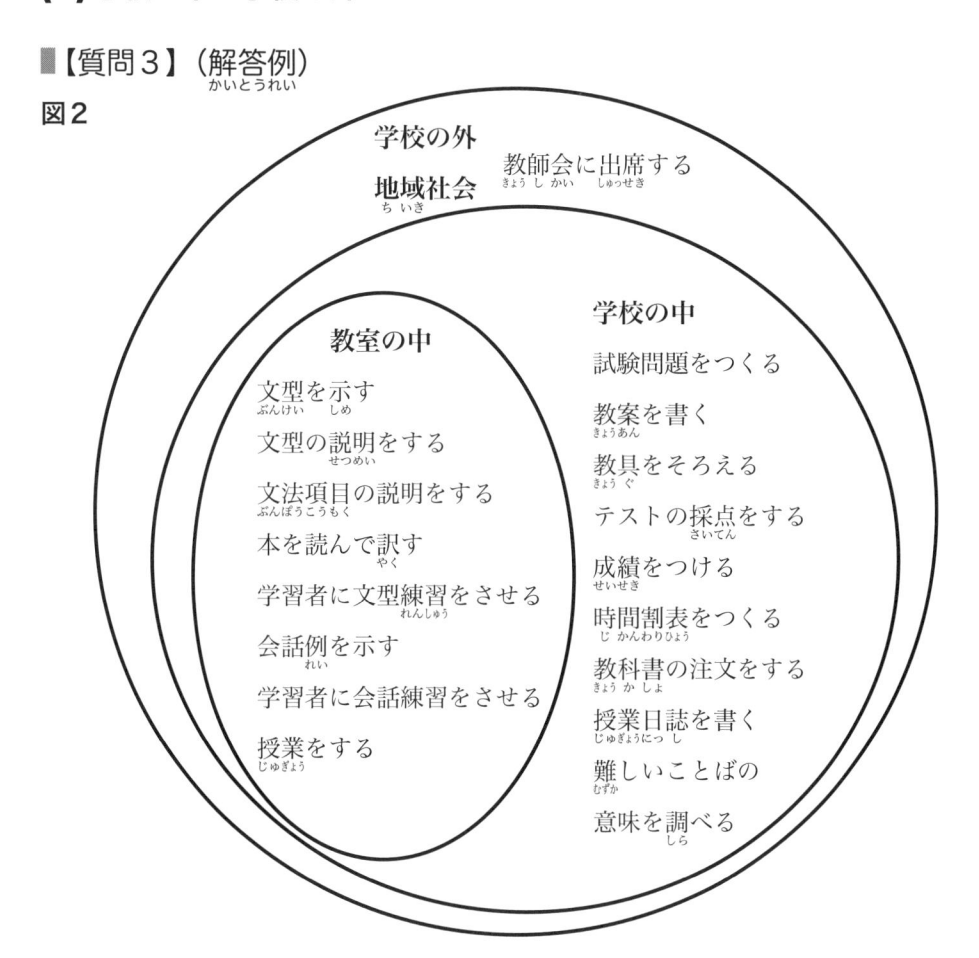

■【質問３】（解答例）
図２

```
学校の外
  地域社会    教師会に出席する

  教室の中          学校の中
  文型を示す        試験問題をつくる
  文型の説明をする  教案を書く
  文法項目の説明をする  教具をそろえる
  本を読んで訳す    テストの採点をする
  学習者に文型練習をさせる  成績をつける
  会話例を示す      時間割表をつくる
  学習者に会話練習をさせる  教科書の注文をする
  授業をする        授業日誌を書く
                    難しいことばの
                    意味を調べる
```

1-2. 教師が理解しておくこと

■【質問４】（解答例）
　図３に書いてあること

■【質問５】（略）

2 コースデザイン

（解説）図4コースデザインの流れの中で目標言語調査・目標言語使用調査というものがあります。この部分については、この本では特に取り上げませんので、以下に簡単に説明します。

「目標言語調査・目標言語使用調査」
　ニーズ分析などから学習者に必要な日本語がわかったら、次にその日本語の母語話者による実際の使用例を調べて、分析します。それを目標言語調査・分析と言います。
　たとえば、「ホテルを予約する」ための日本語を教えようと思ったら、実際にホテルを予約するためにはどのような日本語が使われているのかを知り、それをもとに教える内容を決めます。そのためには、実際にその場面で行われているコミュニケーションを観察して記録したり、日本語母語話者に聞いたり、教師が自分の経験や知識から考えたりする必要があります。ここでは、各場面でのことばの運用、ストラテジーなども含めて調査・分析します。
　しかし、海外で日本語を教える場合や、母語話者が近くにいない場合は、こうした調査や分析は難しくなります。現実には自分が教えたい場面や会話が出ているテキストを買って使うことになり、この目標言語調査・分析の部分は行われない場合も多くなります。しかし、海外でそうした事情のもと、シラバスデザインに進む場合でも、テキストとして採用した本に出ている会話が本当にその場面で実際に使われているものなのか、いつも気をつけて見る姿勢を持つようにする必要があります。
　このほか、「目標言語使用調査」と呼ばれるものも必要だと言われています。実際のことばの使用場面で、非母語話者がどのような語彙、表現を使っているのか、どのような困難を感じていたり、誤用があるのかを調査するものです。

2-1. 学習者のことを知る

(1) 学習者のレディネス

■【質問6】（解答例）
　　レベルは？　　　　予習・復習をよくするか　　　　ゲームが好きか

■【質問7】（略）

(2) 学習法などの好み、言語観・学習観

■【質問8】（解説）
　本文に書いてあるように、「教科書を暗記した」「たくさん書いた」「たくさん音声を聞いた」「くり返し声に出して発音して単語を覚えた」といった具体的な勉強方法を書き出してください。ほかにも「その外国語を話す友だちをたくさんつくった」「単語カードをつくって通学電車の中で覚えた」「友だちとテスト問題を出しあって勉強した」など。

■【質問9】（解説）
　例として次のような答えが考えられます。
・みんなの前で発表したあとで、拍手をしてもらったときにとてもうれしかった。
・練習のときにはじょうずにできたのに、人前に出ると失敗することが多かった。
・前に出て発表するのがいやで、あてられないようにいつも下を向いていた。
・みんなの前で発表するのが好きだったので、いつも一番に手をあげてスピーチをした。

■【質問10】（解説）
　発表させることは悪いことではないですが、大勢の前で発表することが苦手な学習者がいる場合には4、5人のグループの中で発表する練習を何度もさせてから大勢の前で発表をさせるなど、段階をふんだ練習の機会を与える方法もあります。
　ほかにも、発表者へのフィードバックは、良い点の評価も忘れない、発表後に皆で大きな拍手をするようにさせるなどの心づかいも必要かもしれません。

【学習法・学習スタイルの好みに関するアンケート調査】
『英語教育のアクション・リサーチ Reflective Teaching in Second Language Classrooms』ジャック・C・リチャーズ/チャールズ・ロックハート著　新里眞男訳（参考文献参照）には、Professor Joy Reid の知覚別の学習スタイルの好みについてのアンケートの例がのっています (pp.83-86)。学習者を視覚型、聴覚型など、どのようなタイプなのか知るためのアンケート調査の例です。興味のある方は参考にしてみてください。

(3) 学習者のニーズ

■【質問 11】（解答例）

例としては、日本に留学するために日本語を勉強したい、日本のマンガが好きなのでそれが日本語で読めるようになりたい、日本に旅行するので日本語を勉強したい、など。

■【質問 12】（解説）

たとえば「日本に旅行するので日本語を勉強したい」という目的も、旅行の手配や移動など全て自分の力でしようと思っているのか、自分の国の旅行会社にほとんど任せてツアーで日本に行くつもりなのかによって本当にどのような日本語が学びたいかは異なってきます。このように、ここではより具体的なニーズをどのくらい知っているかをたずねています。

2-2. 教師のことを知る

(1) 教授観

■【質問 13】（解説）

自分の教授観の傾向を知るための質問です。できればほかの人の回答と比べてみてください。自分はとても「正確さ」にきびしいと考えていた人も、意外にほかの人ほどではない結果が出る場合もあります。

■【質問 14】（解説）

この問題も特に正しい答えがあるわけではありません。

ただ、教師にはさまざまな面があること、また、学習するのは学習者自身であり、教師はそれをサポートする「学び」を支える立場であることが、さまざまな意見交換の中で浮かび上がってくると良いと思います。また、いろいろな国の人がいるクラスで話し合う場合には、それぞれの国で各職業に対するイメージが異なると思います。そうしたことも理解しあいながら意見交換をしてみてください。

(2) ネイティブ・ノンネイティブ

■【質問 15】（解答例）

ノンネイティブ日本語教師の良いところ
・日本語学習経験者として日本語の学習方法についてさまざまな経験を教えられる。
・日本語のしくみや意味について、明示的に説明することができる／感覚でなんとなくという説明ではなくきちんとことばで説明することができる。
・教授観、学習観などが理解しやすい場合がある。

ネイティブ日本語教師の良いところ
・日本語母語話者として、発音や意味など微妙な使い分けができる。良い手本となる。
・ことばの背景の文化的要素について感覚的に理解している場合が多い。

2-3. 教える内容を考える

■【質問 16】（略）

■【質問 17】（解答）

文型を中心に学習項目が並べられています。

■【質問 18】（解答例）

「禁止する」「感謝する」「あやまる」「ほめる」「助言する」「断る」「さそいを受ける」など

■【質問 19】（解答例）

> 依頼表現
>
> 〜してくれ、〜してくれない？、〜してもらえないかな、おねがい、
>
> 〜してください、〜してほしいんだけど、〜してくれるとうれしいんだけど、
>
> 〜してくださいませんか、〜していただけないでしょうか、おねがいします、
>
> 〜していただけないかとおもいまして、〜していただくわけにはいかないでしょうか

依頼表現（例）	使う相手（例）	使う場面（例）
本、貸して／本、貸してくれない？／本、貸してほしいんだけど、いい？	友だち	本を借りる
実はちょっとこまっててさ、お金かしてくれないかな。／悪いんだけど、お金かしてくれない？	友だち	お金を借りる
先生、本をお借りしたいんですが／あのう、本を貸していただけないでしょうか	先生	本を借りる
あのう、実は大変言いにくいことなんですが、お願いがありまして……／～していただけないでしょうか／～していただくわけにはいかないでしょうか	先生	無理なお願いをする

【質問 20】（解答例）

```
郵便局で使われることば
例）切手　封筒　速達　書留　現金書留　ゆうパック　小包　送金　貯金
　　国際郵便　通帳　キャッシュカード　印鑑　サイン……
```

```
郵便局ですること
例）切手を買う　はがきを買う　郵便を出す　小包を出す　国際郵便を出す　送金をする
　　貯金をする　現金書留でお金を送る　ふり込みをする　口座を開く……
```

郵便局ですること	使う表現
例）切手やはがきを買う	～を（数）ください。 例文：切手を2枚ください。
小包を出す	～まで送りたいんですが。
ふり込みをする	ここにふり込みをしたいんですが。 ここには何を書けばいいですか。
口座を開く	口座を開きたいんですが。

■【質問21】「料理」という話題を取り上げたときの学習項目（解答例）

初級の場合

> 言語行動・機能：
> 　　　好きな食べ物、きらいな食べ物について話す。その理由を述べる。
> 　　　料理の簡単な説明をする（材料、調理の手順、味など）
> 　　　料理を比べる（自分の国の料理と日本の料理など）
> 語彙：食べ物の名前（ケーキ、ハンバーグ、カレーライス、すし、さしみ……）
> 　　　材料の名前（キャベツ　たまねぎ　にんじん　トマト……）
> 　　　調味料の名前（塩、しょうゆ、こしょう、チリソース……）
> 　　　料理方法に関する動詞：（切る、焼く、煮る、蒸す、いためる……）
> 　　　味に関する形容詞（甘い、からい、塩からい、すっぱい……）
> 文型・表現：
> 　　　～が好きです、～がきらいです。なぜなら～からです。～てから～ます
> 　　　～まえに～ます　～ながら～ます　～より～のほうが～です
> その他：日本と自分の国の料理法の違い、食生活の違い、食事のマナーなど

中級の場合

> 言語行動・機能：
> 　　　料理のくわしい説明をする（材料、調理法、料理のコツ、味など）
> 　　　健康や病気と料理の関係を説明する　和食の特徴について説明する
> 　　　健康に良い食べ物やその調理法を教えたり助言したりする
> 　　　自分の得意な料理や母親の得意料理などの特徴を説明する
> 　　　インスタント食品の良い点、悪い点についてディスカッションする
> 語彙：材料、調味料、栄養素や成分（たんぱく質、ビタミンなど）に関することば
> 　　　調理方法に関する動詞、味に関する形容詞
> 　　　微妙な味の違いや食感を表すための擬態語、副詞、動詞など
> 　　　（ほんのり、ぱさぱさ、さっぱり、つるっと、しこしこ）
> 文型・表現：
> 　　　～は～に良い・～によく効く・～に効果がある　～ずに～する
> その他：日本と自分の国の料理法の違い、食生活の違い、食事のマナー、
> 　　　　食べ物と健康の関係、健康食品、ファーストフードなど生活文化の違いなど

■【質問 22】（解答例）

例１）メモを書く

例２）はがきを書く

　　手紙を書く　日記を書く　案内状を書く　クリスマスカードを書く

　　年賀状を書く　Ｅメールを書く　広告文を書く　説明文を書く

　　新聞への投書を書く……

■【質問 23】表３　シラバスの特色（解答例）

	良い点	向いている学習者
文型シラバス	文の形や規則が理解しやすい。規則の易しいものから難しいものへ少しずつ理解を広げていくことができる。	日本の大学や専門学校の受験者。将来日本語学などの勉強をする予定の人。将来中級・上級レベルまで勉強しようと考えている人。
機能シラバス	１つ１つの文がどのような意味や目的で使われるのか、常に結びつけて理解し、覚えることができる。	日本で生活している人。勉強や仕事のためというよりも、日常生活で必要なやりとりがまずできるようになりたい人。
場面シラバス	ある特定の場面で必要とされる語彙や文型や表現をまとめて学習することができる。	日本語を使用する場面がはっきりしている人。（日常生活で日本語を使う人。旅行者など）。実際の場面で日本語を使いたいと考えている人。

話題シラバス	ある特定の話題で必要とされる語彙や文型や表現を同時に学習することができる。 学習者の興味のある話題を取り上げることで動機づけになる。 文化的な要素を取り入れ易い。	日本の文化や社会について学習することが目的の人。 初級後半以降、日本への興味を持続させながら勉強する場合。 基礎的な日本語運用力が身についてから、特定のテーマについて話すなど、総合的に日本語が使えるようになりたい人。
技能シラバス	1つの技能を整理して学習することができる。	「読む」「書く」など特に必要とする技能がある人。 初級の学習が終了し、特定の技能を伸ばしたいと考えている人。

■【質問24】（解答）

① （ 場面 ）シラバス　② （ 機能 ）シラバス　③ （ 話題 ）シラバス
④ （ 技能 ）シラバス　⑤ （ 文型 ）シラバス

(2) 複合シラバス

■【質問25】（解答例）

教えられると思う場面
（例）　自己紹介　友だちの紹介　となりの人への引っ越しのあいさつ
　　　学生食堂　レストラン
　　　先生の部屋（旅行の報告、おみやげを渡す）
　　　簡単な面接試験（アルバイトの面接）

■【質問26】（解答例）場面「学生食堂・配ぜんカウンター」

使うことば：
　食べ物・料理の名前
　数（ひとつ、ふたつ……）
使う表現（文型）、会話：
　学生「これは何ですか」　　　　　　　― 食堂の人「肉です」
　学生「何の肉ですか」　　　　　　　　― 食堂の人「牛肉です」
　学生「ぶた肉の料理はありますか」　　― 食堂の人「ええ、ありますよ。これです」
　学生「少し多いです」　　　　　　　　― 食堂の人「少ないのもあります」
　学生「じゃあ、それにします」
そのほか教えたほうが良いこと：
　「あのう」「すみません」「ありがとうございます」
どのような順番で：
　①食堂の食べ物・料理の名前を確認したり練習したりする →
　②数の言い方の復習・練習をする → ③モデル会話を示す →
　④部分的なやりとりの文型練習 → ⑤モデル会話全体の理解と練習 →
　⑥会話中の語彙を入れ替えた練習 → ⑦ロールプレイ

■【質問27】（解説）
①日本の大学に留学しようと考えている学習者
　留学試験のためには文法や文型を中心としたシラバスで学習を始めるほうが良いでしょう。しかし、将来日本に住んで生活するのですから、日常生活場面で困らないように場面シラバスや機能シラバスをときどき取り入れることが必要です。

②日本に夏休み1カ月間ホームステイをしようと考えている学習者
　日常生活場面で必要な日本語を学習することが目的となりますから、場面を中心としたシラバスが良いと考えられます。また、日本の文化などについて予め知識を入れておきたいのであれば話題（トピック）を中心としたシラバスも良いかもしれません。

③日本国外の日本の会社に勤務している学習者
　日本の会社でどの程度の日本語力が求められているかによりますが、仕事はほとんど現地語や英語で行われ、日本人スタッフとの交流のために日本語が必要ならば、場面や機能を中心としたシラバスが良いでしょう。

④日本国外の大学で副専攻で日本語を学習している学生。特に日本語をすぐ使う予定はない。

日本語の構造を教えると同時に日本語に興味を持たせることが必要になります。文型を中心としたシラバスで教えながら、学生が興味を持ちやすい話題をところどころ入れていくようにしたほうが良いでしょう。また、時には場面シラバスや機能シラバスも取り入れ、習った日本語がどのように使えるのか実感させることも動機づけにつながるかもしれません。文型シラバスを中心にしながらも学習者の興味を持続させるために場面、機能などを組み合わせた複合シラバスが適当だと思われます。

■【質問28】(3) 課題シラバス(タスクシラバス)

2-4. 目標を考える

■【質問29】(解答例)

	最終目標として考えられるコミュニケーション活動
1課	例）自己紹介 パーティーなどで自分の友人や同僚をほかの人に紹介する
2課	みやげ物について説明する 物の持ち主を説明する
3課	場所の名前をたずねる・教える 学校に見学に来たお客さんを案内する
4課	1日の予定を説明する・過去の行動を説明する（事情聴取に答える） 時間をたずねる・時間を教える

2-5. 教材・教具について考える

(1) 主教材

■【質問30】(略)

■【質問31】(略)

【質問32】（解答例）

観点	教材名『新文化初級日本語Ⅰ・Ⅱ』
①教材の目的	1）文法を体系的に習得し、将来高等教育を受けるに足る高い応用力を積み上げられるような土台を作ること 2）日本の生活で日々直面する場面でコミュニケーションができるようにすること。この両面から学習者の能力を高めることを目指す
②対象学習者	将来日本の大学や専門学校に進学することを希望し、初めて日本語を学ぶ学習者
③特徴 （シラバス、学習項目量、学習時間、教え方など）	・基本的に媒介語を使わない授業で使用する ・文型を現実的な場面に組み込んで教えながら積み上げていく（文型を中心としたシラバスだが、場面シラバスも取り入れている） ・Ⅰ、Ⅱあわせて、総学習時間300〜350時間 （ひらがな、カタカナの導入、応用の読解、聴解、作文、会話指導なども含んだ時間） 全体構成：「生活会話」と36課 50音索引、各課索引（別冊）もある ・各課の構成：「本文」「文型」「練習」 ・漢字かなまじり文 18課まで全ての漢字に、19課からは新出語のみにふりがながついている。 ・関連教材： 『練習問題集』『教科書用テープ』『教師用指導手引き書』 『楽しく聞こうⅠ・Ⅱ』『楽しく話そう』 『楽しく読もうⅠ・Ⅱ』など
④自分の学校やクラスでは使えるか	

【質問33】（略）

【質問34】（略）

(2) 副教材・教具

【質問35】（略）

【質問36】（解答例）

レストランを設定したロールプレイ

レストランのメニューや小道具、役割を設定したロールカードなどを用意する。

【質問37】（解答例）

副教材としてさまざまな種類の名刺を用意し、それをロールカード代わりに使って会話練習をさせる。つまり自分が割り当てられた名刺の人になったつもりで自己紹介をしたり、あいさつをし合ったりする。場合によっては、学習者自身にいろいろな名刺をつくらせてみても楽しい活動になる。

【質問38】（解答例）

・家族全員が写っている写真

　文型：これは○○です／わたしの（家族の呼び方）です

　語彙、話題：家族の呼び方、家族のしゅみ、性格、職業などについて話す

　機能：家族を紹介する、家族の説明をする

・いなかの風景と都会の風景を写した写真

　文型：むかしは〜でした／しょうらい〜になるでしょう

　語彙、話題：しずかな、にぎやかな、建物の名前、町の変化について話す

　機能：町のようすや変化について順を追って説明する

・すし、てんぷら、すきやき、お好み焼きを写した写真

　文型：〜がすきです／きらいです、〜で・からつくります

　語彙、話題：食べ物の名前、材料名、味、料理方法のことば

　　　　　　日本の料理について話す、自国の料理との違いについて話す

　機能：料理の手順を説明する、料理のようすを説明する

　　　　料理の味や内容について説明する

2-6. 教え方を考える

■【質問39】（解説）

　正しい答えというものはありません。できるだけほかの人の答えも聞いて、自分のやり方だけではなく、さまざまな方法をとっている人がいることを知りましょう。

■【質問40】（解説）

　本文にも書いたように理由や目的をよく考えずにしていたことがないか、また考えていたことが理論的かどうかを確かめてください。ここでは、「なぜ」そうしたのかを考えてみることが大事です。また、まわりの同僚の考えを聞いたりするのも良いでしょう。同僚と考えが異なった場合も、自分自身の考え方をすぐに否定するのではなく、同僚が言っている学習者は自分が考えている学習者とは異なるのではないか、教える内容や学習時間が異なるからではないか、など、同僚の考え方との違いがどこからくるのかも考えてください。

■【質問41】（解説）

ここでは「あなたの考え」の欄に書くことを考えるときのポイントを紹介します。

項目	必ずする理由・目的	あなたの考え（考えるうえでのポイント）
(2) 学習者に教科書を声に出して読ませる	＜Aさんの場合＞ 学習者に教科書の内容を確認させることができるから	①「声に出して読む」ことは「教科書の内容を確認」する上で本当に必要な手段かどうか考えてください。② 「教科書の内容を確認する」ためにもっと良い方法はほかにないのか考えてください。③「声に出して読ませる」ことの意味はどこにあるか考えてください。たとえば、発音を確認する、文字が読めることを確認する、ことばの区切り方から文の意味が理解できているかどうかが確認できるなど、ほかの意味での効果のほうが大きいのではないか考えてください。
(5) くわしい文法説明をする	＜Bさんの場合＞ 学習者に正しく使えるようにさせたいから	①「くわしい文法説明をする」ことは「正しく使えるようにさせる」ために必要なことか、もし必要なことだとしたらそれだけで十分かどうか考えてください。

		②「正しく使えるようにさせる」ためにもっと良い方法はほかにないのか考えてください。 ③「くわしい文法説明をする」のは教師でなくてはいけないのか、いつもそうしなければならないのか、授業中やらなければならないことなのか、学習の早い段階から必要なのか、学習者が本を読んで調べたりすることではいけないのか、考えてください。
(13) 新しい文型は何度もくり返し言わせる	＜Ｃさんの場合＞ 新しい文型を覚えさせたいから	①「何度もくり返し言う」ことは「文型を覚える」上で有効な方法なのか考えてください。 ②「文型を覚える」ためにもっと有効な方法はないのか考えてください。 ③「くり返し言う」ことは授業中でなくてはならないのか考えてください。 ④「くり返し言う」ことで生まれる効果はほかにはないのか考えてください（例：口の動かし方の練習、発音の確認、応用練習で使う前に不安感を取り除くなど）。
(19) 学習者にペアワークやグループワークをさせる	＜Ｄさんの場合＞ 学習者が話をする機会を増やしたいから	①ペアワークやグループワークにするだけで本当に学習者に話す機会が増えるのか、また実際に学習者はたくさん話すようになるのか考えてください。 ②話す機会を増やすため、あるいは学習者がたくさん話すためにほかに良い方法はないのか考えてください。 ③ペアワークやグループワークをする意味は話す機会を増やすためだけか、ほかに効果はないのか考えてください。たとえば、学習者どうしで学ぶことでお互い気付かなかったところに気付くことができる、安心して話したり考えたりすることができる、などほかの効果を積極的に利用することも大事ではないかといったことも考えてください。

　ここでは、考えるうえでのポイントについて紹介しました。実際には、学習者の学習スタイル、人数、授業時間など、さまざまな条件によって答えが変わってきます。

■【質問42】（略）

■【質問43】（解説）
「寒い」「暑い」は体全体で感じること、「冷たい」「熱い」は物や液体、あるいは空気（例：風）に接触して感じることです。寒そうにしている人や汗をかいて暑そうにしている人の絵や写真を見せたり、実際に冷たい水と熱いお湯をコップに入れてコップを触らせてみたりして教えます。

なお、直接法で語彙の意味を教えるときは、絵、写真、実物などを示しますが、示すものが誤解を招くものでないかどうかよく考えて使う必要があります。たとえば、「本」ということばを教えるときに分厚い辞書のような本だけを見せて「本」ということばを教えたつもりになっていても、学習者によっては「辞書」のことを意味すると誤解する場合もあります。できればさまざまな形状のものを示して「本」というものの意味範囲がわかるように工夫したほうがよいでしょう。

■【質問44】（解答例）
「N（場所や物の名前）のN（位置のことば）にN（物の名前）があります」の文型練習
①反復練習（くり返し言う練習）
　教　師：机の上に本があります
　学習者：机の上に本があります

　教　師：机の下にかばんがあります
　学習者：机の下にかばんがあります

②代入練習（文の一部を指示にしたがって入れ替える練習）
　教　師：机の上に本があります。ノート
　学習者：机の上にノートがあります

　教　師：ペン
　学習者：机の上にペンがあります

③応答（Q&A）練習（質問に答える練習）
　教　師：机の上に本がありますか
　学習者：はい、あります

　教　師：机の上にかばんがありますか
　学習者：いいえ、ありません

パターン・プラクティスには、ほかにも次のような練習があります。

・変形（転換）練習（与えられた文の形を変える練習）

例）私はメロンが好きです　→（否定）私はメロンが好きではありません。
・拡張（拡大・展開）練習（与えられた語句を付け加えて長い文をつくる練習）
例）（行きます）→行きます　（京都）→京都へ行きます　（明日）→明日京都へ行きます

なお、パターン・プラクティスのような機械的な練習は文の形を理解したり覚えたりするのには効果がありますが、その文型が実際の場面で持つ意味や使われ方とは切りはなされた練習であることを教師は常に自覚し、少しでも実際の使い方が意識できるような練習に近づける努力をする必要があります。【質問46】の答えを参照してください。

■【質問45】（解説）

この活動では、学習者はよく聞くことが要求され、発話することを求められません。したがって、聞くことだけに集中することができます。また、聞いて理解するだけでなく、指示にしたがって動くということばの本来的な機能が達成されます。やり方によってはゲーム感覚でユーモアを交えて行うことができ、体を動かすことで、リラックスすることもできるかもしれません。

必要に応じてほかの動詞を使ったり、短い文での単純な指示を長い文での複雑な指示に段階的に変化させたりすることもあります（例：まどを開けてください。走ってください。……まどを開けてから走ってください。）。

＜TPRの活動をはなれて、応用的な方法として＞
発話活動に発展させたいときには、学習者が十分理解できたことを確認したあとで、教師の役（指示者の役）を学習者に順番にさせることもあります。

■【質問46】（解説・解答例）

実際のコミュニケーションに近づけた練習
たとえば、【質問44】で考えた応答練習に少しコミュニケーションの意味を持たせるためには、実際にわからないことを聞いたり教えたりする活動にする必要があります。そのためには話し手と聞き手の間に情報の違い（インフォメーションギャップ）を作り出すと良いでしょう。会話はそのように相手との間に情報差があるときに生まれるものだといわれます。情報差の作り方にはいろいろな方法があります。①②③はその例です。

①ゲーム

教師は机の上にいろいろな物（本、ノート、ペンなど）を置き、物の名前を確認します。机全体に布(日本の風呂敷のような物でも良い)をかぶせ、さっと見えなくします。それ

から「机の上に何がありますか」とたずねます。学習者は覚えている限り、「机の上に〜があります」の文を使って答えます。

②情報差のある2種類のシートをつくる

　同じ教室の中の絵の紙をA、Bの2種類用意します。2種類の絵にそれぞれ同じ複数の物を書き入れますが、AとBで、それぞれの絵の位置が異なるところにあるように書き入れます。A、Bそれぞれの紙をもらった学習者はお互いに紙を見せないようにして、「〜の〜に〜があります」の文型を使って物の位置を説明しあい、聞いた場所に聞いたものを書き入れます。

③教師が教室中にいろいろな物を置き、学習者にどこにあるか探させる。

　教師はなくしたものの名前を黒板に書きます。学習者は教室中を探してそのものを見つけます。学習者には見つけたら、まずことばで教えるように指示します。学習者は「先生、〜は〜の〜にあります」と言って教えます。教師は、「ありがとう」と言ってそのものを取ってもらいます。この活動では、できるだけ自然な会話の流れを意識して「そう」「ありがとう」「どうも」などの語彙を入れて学習者と双方向的な会話が実現できるようにすると、よりコミュニカティブな活動になると思います。

【参考文献】

岡崎敏雄 (1989)『NAFL 選書 7 日本語教育の教材』アルク

岡崎眸・岡崎敏雄 (2001)『日本語教育における学習の分析とデザイン―言語習得過程の視点から見た日本語教育』凡人社

鎌田修他編 (2007)『日本語教授法ワークショップ (増補版)』凡人社

川口義一・横溝紳一郎 (2005)『成長する教師のための日本語教育ガイドブック上・下』ひつじ書房

小林ミナ (1998)『日本語教師・分野別マスターシリーズよくわかる教授法』アルク

ジャック・C・リチャーズ、チャールズ・ロックハート著 新里眞男訳 (2000)『英語教育のアクション・リサーチ』 研究社出版

高見澤孟 (2004)『新・はじめての日本語教育 2 日本語教授法入門』アスク語学事業部

田中望 (1988)『日本語教育の方法―コースデザインの実際』大修館書店

西口光一 (1995)『日本語教師トレーニングマニュアル④ 日本語教授法を理解する本 歴史と理論編 解説と演習』バベル・プレス

日本語教育学会編、岡崎敏雄・岡崎眸 (1990)『日本語教育におけるコミュニカティブ・アプローチ』凡人社

三牧陽子 (1996)『日本語教師トレーニングマニュアル⑤ 日本語教授法を理解する本 実践編 解説と演習』バベル・プレス

畠弘巳 (1993)「コミュニカティブ・アプローチとは？ チャート式教授法早わかり表」『月刊日本語』1993 年 12 月号 アルク pp.6-7

Cotterall, S, (1995) Readiness for Autonomy: Investigating Learner Beliefs. *System* 23(2), 195–205.

Council of Europe 吉島茂・大橋理枝他（訳・編）(2004)『外国語教育Ⅱ―外国語の学習、教授、評価のためのヨーロッパ共通参照枠』朝日出版社 (Council of Europe (2002) *Common European Framework of Reference for Languages: Learning, teaching, assessment.* 3rd printing. Cambridge: Cambridge University Press.)

Horwitz E.K, (1985) Using Students Beliefs about Language Learning and Teaching in the Foreign Language Methods Course. *Foreign Language Annals*, 18(4), 333–340.

Horwitz E.K,(1987) Surveying Students Beliefs About Language Learning. In A. Wenden & J.Rubin(eds.) *Learner Strategies in Language Learning.* (pp.119–129). London: Prentice-Hall.

【執筆者】

久保田美子（くぼた　よしこ）

◆教授法教材プロジェクトチーム

久保田美子（チームリーダー）

阿部洋子／木谷直之／木田真理／小玉安恵／岩本(中村)雅子／長坂水晶／築島史恵

※執筆者およびプロジェクトチームのメンバーは、初版刊行時には、すべて国際交流基金日本語国際センター専任講師

国際交流基金 日本語教授法シリーズ
第1巻「日本語教師の役割／コースデザイン」
The Japan Foundation Teaching Japanese Series 1
The Role of Japanese Teachers / Course Design
The Japan Foundation

発行	2006年9月25日　初版1刷
	2025年4月24日　　11刷
定価	580円＋税
著者	国際交流基金
発行者	松本 功
装丁	吉岡 透 (ae)
印刷・製本	三美印刷株式会社
発行所	株式会社ひつじ書房

〒112-0011　東京都文京区千石2-1-2　大和ビル2F

Tel : 03-5319-4916　Fax : 03-5319-4917

郵便振替　00120-8-142852

toiawase@hituzi.co.jp　https://www.hituzi.co.jp/

Ⓒ2007 The Japan Foundation

ISBN4-89476-301-X

ISBN978-4-89476-301-2

造本には充分注意しておりますが、落丁・乱丁などがございましたら、小社かお買い上げ書店にておとりかえいたします。

ご意見・ご感想など、小社までお寄せくだされば幸いです。

―――――――――― 好評発売中！ ――――――――――

日本語学習アドバイジング
自律性を育むための学習支援
木下直子・黒田史彦・トンプソン美恵子著　定価 2800 円＋税

使える日本語文法ガイドブック
やさしい日本語で教室と文法をつなぐ
中西久実子・坂口昌子・大谷つかさ・寺田友子著　定価 1600 円＋税

場面とコミュニケーションでわかる日本語文法ハンドブック
中西久実子編　中西久実子・坂口昌子・中俣尚己・大谷つかさ・寺田友子著
定価 3600 円＋税